ARTHURO D'ALBERTI

JESSICA DURLACHER

Het Geweten (1997)
De dochter (2000)
Op scherp (2001)
Nieuwbouw (2004)
Emoticon (2004)
Schrijvers! (2005)
Wat gebeurde er met Cathy M.? (2007)
De held (2010)

DE BEZIGE BIJ

Jessica Durlacher

Arthuro d'Alberti

NOVELLE

2011

DE BEZIGE BIJ

AMSTERDAM

Copyright © 2006 Jessica Durlacher
Eerste druk 2006
Derde druk 2011
Omslagontwerp Studio Jan de Boer
Omslagbeeld Ullstein Bild
Foto auteur Billie Glaser
Vormgeving binnenwerk Adriaan de Jonge
Druk Clausen & Bosse, Leck
ISBN 978 90 234 5924 8
NUR 301

www.jessicadurlacher.nl
www.debezigebij.nl

Arthur Durlacher, getekend door Hans Margules in 1942
in Kamp Westerbork (op de tekening heeft Durlacher
geschreven: 'Arthur Durlacher d'Alberti')

Achter de muziek aan

Mijn grootvader, die in 1945 is vermoord in Ber-
gen-Belsen, was operazanger. Dat zeiden ze ten-
minste altijd, mijn ouders. Veel wist ik er verder niet
van, en het kwam niet bij me op om me op eigen
houtje in de geschiedenis van mijn familie te verdie-
pen. Ten eerste omdat mijn vader zelf al zoveel over
zijn verleden had geschreven, ten tweede omdat ik
al moeite genoeg had om alleen hem te begrijpen.

Mijn vader Gerhard Durlacher (1928-1996),
die als enige van zijn gezin de nazikampen overleef-
de, behoorde tot vele werelden die zich niet gemak-
kelijk lieten ontsluiten. De meeste hield hij geduren-
de het grootste deel van mijn jeugd bewust verbor-
gen, in andere liet hij me (misschien wel te) uitvoe-
rig delen. Muziek was een van de belangrijkste
daarvan, een oerwoud van emoties dat hem ver-
trouwd en tot troost was en waarin hij eigenlijk
voortdurend wilde verkeren – mijn zusjes, mijn
moeder en mij sleurde hij hierin al dan niet tegen
onze zin als vanzelfsprekend mee.

Over zijn vader de operazanger zweeg hij tegelijkertijd in vele talen.

Bij het schrijven van dit boek drong zich die
vreemde discrepantie vrijwel meteen aan me op.
Het vermoeden dat hierin een eigen logica verborgen zat, liet me vanaf het begin niet los. Om mijn
grootvader te kunnen duiden, moest ik beginnen bij
mijn vader, en kon ik ook mijzelf niet buiten schot
laten.

Uiteindelijk hoefde ik alleen maar achter de muziek aan.

DEEL EEN

Papa is de baas van de muziek. Als hij met zijn hoofd wiegt, wiegen wij inwendig ook. Als de piano vrolijk is en niet kan stoppen met praten en vertellen, worden wij steeds wilder. Soms krijgen we er zelfs de slappe lach van en gillen van plezier om de dolle verhalen die het geweld uit papa's boxen bij ons oproept. Dan begint papa, die eerst nog vrolijk keek, langzaam aan te fronsen om ons lawaai, en houdt, ineens afwezig, zijn hoofd stil, zijn bijna zwarte ogen rond en aandachtig om iets anders, zijn wijsvinger geheven. We worden allemaal even stil als hij en luisteren mee naar de sprong die de muziek onder zijn leiding maakt. Soms voelen we ons dan even een klein beetje alleen – alsof papa luistert naar iets wat alleen hij kan horen, en wij niet. Sssst, zegt hij, en iets zegt ons dat wij dat niet te licht mogen opvatten.

Muziek. Altijd is er muziek. Er zijn de lieflijke vioolconcerten, de snarentrio's en de kwartetten met hun verstandige, en toch zo verleidelijke kamermuziek. We laten ons overspoelen door de eindeloze, onbegrijpelijke pianoconcerten, en de symfonieën met hun bulderende orkesten waarbij je niet meer kan denken. Het ene moment stroom je vol onbekend woest verdriet, in het volgende word je meegesleurd in de idiote opgewondenheid van de strijkers en de slaginstrumenten. De lange, saaie stukken daarna zijn lessen in beheersing en ernst. We ondergaan ze geduldig, maar soms worden we gek van het om en om draaien en steeds verder verwateren van de thema's die zoëven nog mooi en krachtig waren. Nu weten we het wel, denken we moe, nu is het toch wel klaar, suf zijn we, van de emoties.

In de auto zit nog geen radio. Wij zingen. We kennen liedjes van school, en ik zit sinds kort op een koortje waar ik nieuwe liedjes leer. Daar heeft hij het gezegd, papa, in de auto, met een waardering die uit een andere wereld komt, een wereld waar men verstand van die dingen heeft: *ze heeft een goede stem*. Dat is iets groots, een goede stem, daar zitten beloftes in die verder reiken dan ik nu kan overzien. En vreemd genoeg hebben die beloftes minder met de toekomst dan met het verleden te maken. Hoe kunnen beloftes met het verleden te maken hebben, vraag ik me af. Maar het is zo. Bij ons wonen er beloftes in het verleden. Het verleden is dood, maar de beloftes zijn er nog altijd, ze glimmen en ze ruiken naar papa, iets tussen leer, chocoladetaart en tabak in.

Lange tijd bestaat er maar één wereld, en dat is thuis, één trouw, en dat is die aan ons gezin. Uit vier stuks bestaan we. De derde zus is er nog niet. Niets trekt nog aan ons, geen vriendschappen met vreemden zijn sterk genoeg om ons uit elkaar te halen. Zondagochtenden zijn heilig, vieringen van loyaliteit aan onze clan. We eten *Ei im Glas*, het in elkaar gestampte zachte ei met zout en boter, een van de weinige leuke dingen die papa nog van Duitsland kent. We kibbelen, betwisten elkaar het lekkerste broodbeleg, pekelvlees, rookvlees, chocoladepasta, en doen ons best de leukste en de grappigste te zijn. We luisteren half en half naar de gesprekken van onze ouders. Mijn vader maakt heel precies en beschouwend gehakt van de wereld en mijn moeder probeert de vezeltjes weer aan elkaar te lijmen. We snappen er niet veel van, maar de toon van hun stemmen vertelt ons wat belangrijk en erg is, en wat niet. Er wordt gevochten in Vietnam. Op de achtergrond vat Brahms ons samen. En Mozart maakt van ons ontbijt een filmverhaal – met kop en staart.

Er zijn vaste rituelen. De Dual-draaitafel wordt elke keer met een vilten doek gereinigd, daarna veegt papa de naald voorzichtig met een piepklein borsteltje schoon. Heel zachtjes blaast hij ertegenaan, legt dan de plaat erop. Ook die wordt met een cilinder van fluweel vervolgens al draaiend afgestoft voordat het mag beginnen. Papa hijgt er altijd licht bij, bang om iets kapot te maken.

Wij zitten op veilige afstand. De knoppen zijn verboden terrein voor ons en dichter dan een halve meter bij de draaitafel mogen we niet komen – zo gevaarlijk zijn wij. Wij weten niet beter, maar gaandeweg raken wij ons ervan bewust dat alles wat wij doen volgens papa tot vernieling leidt. Wij vergeven hem dat, zonder dat wij weten dat dat vergeven heet. Vergeven is bij ons nog hetzelfde als angst, en ook tussen angst en liefde kennen we het verschil nog niet.

Soms kerft papa tijdens het praten in een kwart sinaasappelschil, schuift hem over zijn tanden en toont ons dan ineens een oranje gebit, onder luid gegrom. Of hij doet de act met zijn vuist voor zijn gezicht. Eerst kijkt hij ernaar alsof het iemand is die hem iets wil zeggen, dan begint zijn gezicht te vertrekken in zogenaamde doodsangst. Steeds wijder opent zich zijn mond, in een geluidloze schreeuw, terwijl de vingers van zijn hand langzaam opengaan, en de hand hém aanstaart en hij de hand. Uiteindelijk staan de vingers wijd, een gigantische, dreigende vleermuis en gillen wij mee, mét geluid, en proberen hem na te doen.

'Dit kon mijn vader ook heel goed,' zegt hij, tevreden met ons gelach. Het wordt me niet duidelijk of dat iets positiefs is of niet. Papa's act is vast leuker dan die van een vader die niet meer bestaat. Ik probeer me de vreemde voor te stellen, de vader van mijn vader. Dat er in het verleden werd gelachen komt me op de een of andere manier ongerijmd voor. Vroeger, lijkt me, waren mensen ernstig en altijd somber. Betekent de act met de hand soms nog iets anders? In Brahms' woeste strijkers hoor ik de stem van papa's vader tegen papa praten, zijn gezicht benauwd voor zijn eigen hand.

Zijn vader wilde operazanger zijn, vertelt papa. Hij had een bariton, een lage diepe stem. Papa lacht erom, trots, maar ook een beetje schamper. Zingen is wel mooi maar ook een beetje lachwekkend.

Als Brahms even in een wat saaier, rustiger vaarwater is gekomen, denken we allemaal aan de grootvader die kennelijk bulderend kon zingen en die we nooit hebben gekend. Aangezien verre dode grootvaders niet raar of lichtzinnig kunnen zijn, weet ik niet goed wat ik van zingen moet denken.

Soms is hij vroeger op dan wij, onze papa. Hij loopt op en neer in de keuken, zijn ogen weer wijd en vrolijk. Hij reddert. Snijdt brood, zet water op voor eitjes. Zijn opgewektheid is instrumenteel, verdrijft zijn nachtmerries. Alles is prettig als hij zo vrolijk is. Hij heeft een ochtendjas aan in de stof van O.B. Bommel, draagt sloffen en perst sinaasappels. Zijn wenkbrauwen zijn nog ongekamd, zijn baard staat alle kanten op. Zo heb ik hem het liefst. Zachtjes neuriet hij mee met Mozart, die de kamer in een concertzaal heeft veranderd. De muziek giert door het hele huis, de oranje gordijnen van de dure Ploeg-stof trillen er een beetje van en ruisen onrustig over de gladde kastanjebruine houten vloer.

'God, Gerard, mag het ietsje zachter alsjeblieft,' vraagt mijn moeder, die uit bed gedonderd is door de muziek en nu slaapdronken naar beneden komt in haar rode ochtendjas. Mijn vader gaat te zeer op in de muziek om haar te horen. Verliefd op de lichtzinnigheid van de violen en de integere stemmen van de klarinetten wiegt hij zijn hoofd heen en weer. Terwijl hij bezig is allerlei dingen uit de ijskast op het aanrecht te zetten, proeft hij alvast flink van de vleeswaren.

Mijn moeder laat hem, pakt placemats om de tafel te dekken. Het gebulder van de muziek maakt ons lacherig en vrolijk, we springen door de kamer, duikelen kopje op het dikke witte kleed.

'Jongens! Gaan jullie mammie eens even helpen! Zijn jullie soms gek geworden?' roept mijn vader dan, ineens streng en boos.

We schrikken. We rennen naar de kast, maar we kunnen ineens niets meer vinden. Wat moeten we pakken, brood, zout, kaas, jam, wat heeft papa nodig, een afwaskwast, een trompet, een pen, een mes? De muziek is te luid om de tafel te dekken. We zijn in de war door de muziek, het is hier vol, in de kast is het vol. We voelen ons klein en dom.

Schuldbewust rennen we rond met het broodmandje, duwen de boter in de doorgeefkast. We dachten dat het feest was, en nu hebben we papa toch nog boos gemaakt. Inmiddels is mijn moeder met de thee bezig, en loopt mijn vader naar de kamer, puffend en steunend, met de glaasjes sap, door hem geperst. De rest van het ontbijt is door een wonder op tafel terechtgekomen. Hij zet de muziek zachter en laat zich zakken.

'Hè, hè!' zegt hij tevreden. Ik slaak een zucht van opluchting.

We gaan zitten op onze eigen plekken. Papa in het westen, mijn zusje in het noorden, mijn moeder oost, ik zuid. De aarde is van ons, wij eten er onze maaltijden aan.

Op school krijg ik blokfluitles. Juffrouw Verluin leert ons de eerste noten. Zelf spugen we onze fluiten al na de eerste tonen vol. Alleen gepiep komt er nog uit. Als zij het voordoet, vouwt ze haar lippen teder om het mondstuk heen alsof ze het proeft als een rijp stuk fruit, en blaast droge, dunne noten. Ons geblaas steekt er lelijk en hortend tegen af. Toch ben ik niet jaloers op juffrouw Verluin. Ik voel een onverklaarbare haat opwolken wanneer ze ons verbetert en voordoet hoe het moet. Dan sluit ze de ogen en gaat op in het spel, haar bovenlichaam heen en weer wiegend, overdreven vliegbewegingen makend met haar ellebogen. Alsof ze kunst en wijding in haar fluit probeert te pompen, denk ik. De superioriteit waarmee ze alles voordoet is afstotelijk voor me, haar vervoering vind ik gespeeld en vals. Iets in mij kraakt van ergernis, en ik merk tot mijn schrik dat ik haar zou willen slaan en aan haar gehaakte vest met macramésliertjes door de schoolgang sleuren.

Thuis nemen we muziek ernstig genoeg. Buiten schooltijd ga ik elke week naar theorieles, bij juffrouw Lootjes. Juffrouw Lootjes is dik, heeft een onderkin die lilt als ze spreekt, en extreem bolle ogen met een klein brilletje. Ze leert ons de basisprincipes van de muziek: solfège, noten lezen, ritme. Zelf bespeelt ze een bolle, suikerzoet klinkende viool, die ze een vedel noemt. Het woord brengt het slechtste in me boven; zever, edel, kwezel, vervelen, kwelen, vellen op de melk. Vedel! Juffrouw Lootjes ruikt zuur, naar zenuwzweet en maagsap. Ook zij lijdt aan het vervoeringsvirus, met hartstocht klampt ze zich vast aan haar instrument, terwijl haar kalkoenenkin siddert, en diept er volle, trillende jubeltonen uit op – met de ogen dicht. Vagelijk ontroert ze me daarmee, ze speelt niet slecht, maar dat wat zo kwetsbaar en wanhopig lelijk aan haar is, smeekt om mijn spot en pesterij. Bovendien kan ze krijsen als een woedende marmot – wij kinderen maken haar bang.

Thuis doe ik haar vervoering en haar woedeaanvallen bekwaam na. Het woord vedel wordt een familiegrap. Vee-edel, fleem ik vilein met een neusstem die vibreert. Ook papa schatert erom. Met opstand tegen vermeend gezag ben ik bij hem aan het juiste adres. Toch mag ik niet van muziekles af.

Pas als juffrouw Lootjes meent bij ons thuis voor mijn pesterij verhaal te moeten halen, wordt het hem te gek. Hij heeft met haar te doen, maar ziet ook dat ik van haar bevrijd moet worden.

Juffrouw Goebel is mooi en jong, half Duits en een leerlinge van Frans Brüggen, de beroemde fluitist. Ook zij proeft haar altblokfluit, als een grote kersenbonbon vol drank ditmaal. Maar je hoort waarom het nodig is dat haar mond zich zo aanstelt: haar toon! Die is rond en vol, een schitterende, soms blije, soms klaaglijke klank. Dat wil ik ook! Nu merk ik pas dat ook blokfluit spelen met echte muziek te maken heeft. Het is fantastisch om muziek te maken die ik zelf mooi vind klinken! Ik waan mij steeds meer meester van de alt. Händel speel ik, het ware werk. Thuis maakt op dat moment mijn vaders nieuwste lief-de, Scarlatti, mijn moeder gek – we zitten ineens allemaal tot over onze oren in de barokmuziek.

Maar op school heb ik met juffrouw Verluin te maken. Ze geselt ons met haar opschepperijen over een hoger artistiek leven waaraan wij, grofbesnaarde verschoppelingen, nooit zullen geraken. Ze weigert te erkennen dat ik inmiddels al vele fasen verder ben dan het schoolniveau waarop zij ons onderwijst. Dat maakt mij wrokkig. De spanning tussen ons neemt toe. Maar ook mijn klasgenoten frustreert ze. Haar cursus blijft even middelmatig en saai als altijd, en toch doet ze alsof het de meest essentiële les is die wij op school krijgen. Openlijk vervloekt ze de verplichtingen die wij als zesdeklassers inmiddels hebben – de Citotoetsen, de extra uren Frans. Men giechelt en mort, toch zegt niemand haar dat ze moet ophouden zich dik te maken.

Thuis, tussen luide wolken Scarlatti, wordt Verluin solidair meeverketterd door mijn vader.

Het gebeurt op een gewone ochtend, ergens in het midden van ons laatste jaar op school. Eerst wijst Verluin vol ongepast sarcasme een leerling terecht die niet geoefend heeft. En dan maakt zij onze zelfgeschreven musical belachelijk. Met muziek van eigen hand had zij zelf op onze eindejaarsavond indruk willen maken op onze ouders. Ik geef eindelijk toe aan de drift die al zo lang in mij smeult. Staand en met luide stem verwerp ik haar deerniswekkende lessen, bespot ik haar gebrek aan muzikaal talent, verwijt ik haar de muziek voor ons altijd onklaar te willen maken. En brul ik haar het eindoordeel toe.

'Talentloze schooljuf!'

Dan pas doemen in het tl-licht van de aula waar we bij elkaar staan de anderen weer op. De lacherigheid is hun vergaan. Doodstil kijkt men naar het tableau vivant. Sidderend staan we tegenover elkaar, Verluin en ik. Ik dampend en rood, in mijn beige trui en ribbroek, Verluin grijs en klein in haar wijde tuniek, de houten kralenketting met de abstracte zilveren hanger

om de hals. Plat staat ze op haar gezondheids-
schoenen, gemaakt voor geluidloos gemak.

Even heb ik het bevrijde gevoel dat ik aan een-
ieder voor het eerst mijn ware gezicht heb laten
zien. Ben ik niet meer het elfjarige meisje, van
wie ik de uiterlijke kenmerken draag, maar de
ziedende volwassen man die in mij woont.

Die vreugde duurt maar kort. Als ik de trap-
pen van de school op ren, naar mijn klas waar
mijn eigen meester net handenarbeid geeft aan
de minder muzikalen, ontmoet ik met mijn hijgend verslag slechts verbazing. Ik merk dat ik alleen sta in mijn woede.

Spijt voel ik niet.

In de maanden die volgen ga ik niet terug naar
de les van Verluin. Er volgt geen gesprek, geen
overleg. Als volwassen vijanden ontlopen wij elkaar.

Wel maken we met de klas de musical. Helemaal zelf. Ons eigen verhaal, onze eigen liedjes,
onze eigen muziek. En behalve dat ik vrijuit op
mijn altblokfluit speel, zing ik ook nog een ver-
pletterende solo in een lange jurk, de ogen zwart
en blauw omrand: 'O, lieveling met je blauwe
ogen! En met je haar als zonnestraaaaalen! O,
laat me jou nu eens lief-kozen!' Ook dat ben ik,
voel ik. Ik gloei. Juffrouw Verluin zegt na afloop
niets.

Papa wel. 'Net mijn vader,' zegt hij grinnikend. 'Dat theater. De genen! Het moeten de genen zijn. Ja, je hebt een goede stem.'

Of hij het mooi vond, weet ik niet.

Over mijn grootvader hoor ik weinig. Alleen dat hij kon zingen. En af en toe verneem ik iets over het obsessief rechthangen van schilderijen en het verbeten kammen van de franje van de tapijten. Dat deed hij. Dat is het verhaal van opa Arthur. Papa lacht als hij daarover vertelt, maar we durven niet te vragen of hij lief was, onze onbekende opa. Daarvoor is papa te spaarzaam met woorden over hem. Hij is te dood om lief te zijn, denken we, maar nog veel erger te dood om een rotzak te zijn. Het enige waaraan we kunnen aflezen dat er misschien ook wel kleine nadelen aan papa's vader kleefden, is de vergoelijking die we te horen krijgen als papa weer eens woedend tegen ons gebruld heeft. Dat stelt niets voor vergeleken bij het brullen van opa Arthur. Papa lacht erom, maar niet helemaal van harte.

Zo'n lach over opa Arthur gaat soms over onze hoofden verder in een monoloog, met bittere, afgebeten zinnen. Ik begrijp eerlijk gezegd nooit precies hoe dat zo snel kan gebeuren. Niets in zo'n verhaal komt me bekend voor. Alle woor-

den zijn vreemd, alsof mijn ouders ineens ge-
heimtaal praten. Het heeft met de reden te maken dat opa Arthur er niet meer is, vermoed ik.
Of zou het over het brullen gaan?

Vaak bladeren we in het fotoboek van mijn moeder. Onze opa en oma staan erin, samen met hun kind dat onze moeder is, en allerlei vreemde mensen, in het grote, oude huis in Apeldoorn waar we in de vakanties soms naartoe gaan. Mijn opa en oma zien er in het boek niet heel veel jonger uit dan nu, maar toch kan je zien dat het lang geleden is dat de foto's zijn genomen. Het licht is anders en iedereen lacht stijf. De kleren die men draagt zijn vreemd en ouderwets. Mijn oma draagt een pothoed.

In het huis in Apeldoorn is alles oud, en het ruikt er naar de groentesoep die oma in haar koude keuken met het vergeelde granito aanrecht al dagen voor onze komst heeft klaargemaakt. Er is oorlog in dit huis geweest, weten we van mama. Van de stoffige, gevaarlijke spinnenzolder waar we niet mogen komen tot de kelder, zit het vol geheimen. Het is er altijd koud, en je kleding, alles eigenlijk, voelt na één nacht al klam aan. Er is geen douche, maar in de slaapkamer staat een wastafel met kranen, één koud, één kokend heet.

Met mama plukken we vossenbessen in het wildste, diepste bos dat we ooit hebben gezien en daarna kookt oma daar jam van in een enorme, gebutste aluminium pan. Als er schuim op komt, moet dat eraf geschept worden, en oma laat telkens een beetje van de ziedende rode massa van de oude houten pollepel op het aanrecht glijden om te zien of het al de juiste dikte heeft. We vullen twaalf potten met onze goddelijke jam – net zoals mama vroeger, zegt ze.

Op de foto's heeft mijn moeder als klein meisje een grote strik linksboven op haar hoofd, en later in het boek draagt ze twee lange dikke vlechten. De school waar zij op zat staat er nog steeds. Soms wandelen we er langs, dan wijst ze hem aan. Ik zie haar staan, met strik, helemaal alleen, in een oud leven zonder ons. Het is een griezelig gevoel dat wij haar toen nog helemaal niets konden schelen. We willen snel verder, al die oude dingen, waarom zijn ze er eigenlijk nog? Huiverend voelen we hoe het verleden ons mee probeert te sleuren; het staat op straathoeken en waait.

Papa's verleden is er niet. Er gaan jaren voorbij dat we denken dat hij nooit een kind is geweest maar als vader van ons ter wereld kwam, compleet met bril en baard. Er is een los fotootje waarop hij met twee vreemde mensen staat, maar eerlijk gezegd geloof ik mijn moeder niet als ze beweert dat dat zijn ouders zijn. Waar zijn ze dan nu? Dood, zegt mama. Dat had ik eerder gehoord. Ik dacht alleen dat het iets anders was, dood zijn. Op de foto zien ze er levend uit. Misschien vind ik het wel vreemder om ze ineens op een foto te zien dan dat ze dood zijn. Hoe kunnen ze dood zijn en toch op een foto staan? Ik denk dat mama zich vergist. Ze zijn nog ergens. Ik voel het gewoon. Ze leven ergens en willen niet dat we ze vinden. Mama zegt dat ik er met papa maar beter niet over kan praten.

Pas als ik wat ouder ben, vind ik een klein donkerrood fotoboekje in dezelfde lade van het bureautje waar ook mijn moeders foto's liggen. Heeft het er altijd al gelegen, of is het er recentelijk neergelegd? Ik kom er niet achter. Ik zie foto's van mijn vader als jongetje, ernstig, mollig en donker, tussen allerlei vreemde mensen in. Dat zijn zijn ouders, zegt mijn moeder, en Fleischmann en Feiner, de mensen die bij hen in huis woonden, vluchtelingen. Zoveel volwassenen en dan die ene jongen ertussen. Ze zien er allemaal uit als tantes en ooms, ook papa's zogenaamde ouders zien er zo uit. Ze kijken helemaal niet liefdevol naar papa, en hij is nog maar zo jong. We zijn blij dat papa nu veilig bij ons is. Wij zorgen vast beter voor hem dan die vreemden.

Nog weer later kijk ik lang naar de foto van papa's vader en moeder. Hij ziet er groot uit, Arthur, groot en streng. Hij lijkt een beetje op papa, en hoe langer ik naar hem kijk, hoe bekender hij wordt. Ook hij hangt wat achterover om zijn buik voor zichzelf te laten spreken. Papa's moeder, Erna, is heel donker, met zwart, in het midden gescheiden haar, hoge jukbeenderen, donkere ogen. Ik vind ze er beiden indrukwekkend uitzien – eindelijk bewijs dat er iets bijzonders aan ons is. Hier komen we vandaan. En Erna heeft wel iets van mij, al ben ik blond. Papa zegt het ook.

We hebben dus ooit meer echte familie gehad, bedenk ik. Het is een vreemd, opwindend idee.

Als ze er nog waren, gingen we er vast af en toe op bezoek. Ik probeer het me voor te stellen en vind ons familieleven ineens wat armoedig, met alleen die twee grootouders in Apeldoorn. En bij de achterneven uit Amsterdam horen we niet. Daar worden we soms geduld tijdens seideravond. Wat een feest vinden we dat! Helaas heeft papa alleen maar neven, geen broers. Dat telt niet echt.

Hoe het precies zit, weet ik niet, maar Apeldoorn schijnt ook in papa's leven een rol te hebben gespeeld. Hoe dat kan – mijn Duitse grootouders kwamen uit Baden-Baden, hoor ik steeds. Kenden papa en mama elkaar dan al als kind? Het lijkt onvoorstelbaar dat mijn ouders door hetzelfde dorp hebben gelopen zonder te weten dat ze later gingen trouwen – of dat wij er zouden komen. Dat ze zes jaar schelen, kan een verklaring zijn. Het spreekt wel tot onze verbeelding: mijn moeder als meisje, en de grote jongen die mijn vader was die haar ziet op straat, bezig met de tol waarover ze ons heeft verteld. Ik ben zelf als eersteklasser ook verliefd op iemand uit de zesde.

Maar zo is het niet gegaan, zeggen ze.

Mijn vader en moeder vertellen andere grappige verhalen. Niet veel, een paar maar. Papa heeft een opwindmuis in het lange haar van zijn grootmoeder gezet. Hij heeft in iemands gezicht gepiest, dat van zijn tante? Hij was vaak stout maar

hij had een trein en een heel mooie leren school-
tas.

We hebben zelf nog niets meegemaakt. Hoe
moeten we weten dat er meer is? Waarom meer
dan school, straat, hoepel, opwindmuis?

We zijn eigenlijk best tevreden met alle kleine
beetjes – wat ons niet verteld wordt, bestaat niet.

Omdat het gewoon is dat papa's ouders er niet
meer zijn, nemen we genoegen met het ene paar
grootouders dat ons is toebedeeld. De anderen
wonen in een donkere kamer, daar komen we
niet graag. De vraag wat er tussen de foto en hun
dood-zijn is gebeurd, laten we voor de zeker-
heid maar liggen. Vragen is niet goed voor ons,
we zijn te klein, zegt men, en papa laat er toch
niets over los. Het woord 'kamp' kennen we wel,
maar het is niet aan te raden om naar dat woord
te vragen in zijn bijzijn, zegt mama. Zeggen dat
ik naar een ponykamp wil, kost moed.

Toch brengt mijn vader het kennelijk zo zieke
woord soms in grappen gewoon ter sprake en
dan grinniken we mee, onze gezichten wetend,
werelds, door de wol geverfd. Het kamp. We raken aan het woord gewend. Het wordt van ons.
Het betekent iets waar anderen niets van weten,
al is het maar dat het iets betekent. Dat papa er
niet uit kon, bijvoorbeeld. En dat het niet leuk

was. Dat er niet over gepraat mag worden. Stille-
tjes vragen we ons af waarom hij er in ging. Op
welke manier. En hoe hij er weer uit kwam.

Papa houdt niet van gemakkelijke muziek. Bij ons geen schlagers, opera, pop of rock. Dvořák en Rachmaninov worden afgewisseld door Prokofjev, Brahms, Beethoven en Schubert. Moeilijk en iets makkelijker in het gehoor liggend door elkaar – nooit licht.

Maar wij, iets ouder nu, smachten naar *schmalz* en kunnen geen genoeg krijgen van het vioolconcert van Mendelssohn dat papa ons ooit heeft laten horen. Voor papa heet dat zoiets als snoep te zijn, net te zoet en te licht, al heeft hij er nota bene zelf een keer zichtbaar bij gehuild.

Pas veel later zullen we in zijn boeken lezen waar de gêne bij Mendelssohn begon. Op een avond van het studentencorps, waar mijn vader in zijn eenzaamheid van net na de oorlog gezelligheid zocht, werd Mendelssohns vioolconcert gedraaid. Een van de studenten lalde boven de muziek uit: 'Schei toch uit met die sentimentele jodenmuziek, kerel!' Mijn vader, bleek, verliet de vereniging om nooit meer terug te keren.

Onkundig van dit alles moet ik elke keer met-

een huilen als David Oistrach de vioolpartij in-
zet. Naar het arbeidershuisje in Groningen dat
we sinds kort bezitten, nemen we de plaat mee.
Het is er vochtig en de pick-up is onvergelijk-
baar met die van thuis – het feit dat Mendelssohn mee mag, is een veeg teken. Je zou het een
verbanning van de arme plaat kunnen noemen.

Maar met deze uitkomst kan ons dat niet schelen. Aangezien het praktisch de enige plaat is die
in het huisje voorhanden is, mogen we hem
steeds opnieuw draaien. Hier gelden andere
wetten, en ook papa voelt wel aan dat het gillen
van de heilloze wind rond de muren van ons on-
beschutte huisje op de een of andere manier ge-
temd moet worden.

Mendelssohn stelt ons gerust, en de illusie
van een veilig hol in de wildernis wordt gevoed
door David Oistrach. Bij het plaatselijke suiker-
brood met roomboter vergeet goddank ook papa
dat hij eigenlijk van Mendelssohn af wil.

We zijn altijd bezig dit huis op te knappen. Het
ziet er saai en degelijk uit, maar het heeft eigenlijk nogal wat hulp en zorg nodig. Het wint het
maar net van de elementen. Zonder middelen,
en zonder vaklui, timmeren mijn ouders en wij
er lukraak op los, en spitten weekeinden lang de
hopeloos stenige aarde rond ons huisje om. We

improviseren. Ons geld is of op, of is hier eenvoudigweg niet voor bestemd. We hangen onze oude gordijnen voor de ramen, al zijn ze te kort. Vloerbedekking is mijn ouders te duur, de hardboard platen voldoen heel aardig, zeggen ze. We leggen er het oude, wat viezige kleed van thuis op, alles wordt toch in een mum vochtig hier. Wat is het gezellig nu! Er zitten rotte plekken in de sponningen van de ramen, mijn vader vult ze met kiezelstenen en specie, hele emmers gaan erin. Wanneer we 's avonds in de kamer zitten, met de kachel loeiend aan, en het troosteloze, koude zwart van het donkere grasland ons van onder de korte, te smalle gordijnen door naar buiten probeert te trekken, wiebelen we van de ene bil op de andere. Daarna staan we op om heen en weer te drentelen op onze geitenwollen sokken over het krakende hardboard met de opbollende stukken.

Ontspannen is moeilijk, daarvoor genieten we met te volle teugen van onze oplossingen van de schaarste. De tekeningen die we hebben opgehangen, de vaas met paardenbloemen, zuring en margrieten. De warmte die van de kachel komt, is een spaarzaam goed, en elke warme teug lucht vervliegt weer even snel als hij is ontstaan in de wind die door de kieren van de ramen piept. Als we iets van warmte gewaar worden, is dat een overwinning op de elementen.

Daar zitten we dan in ons warme huisje. We zijn ons van alle zelf veroorzaakte details, van iedere pioniersminuut bewust.

Dan kalmeert Mendelssohn ons, ook al moeten de luidsprekers hard hun best doen om hem boven de wind uit te tillen. Onder zijn leiding proberen we onze benen in een harde rieten stoel te vouwen en beginnen aan een nieuw boek.

Het huisje hebben mijn ouders kunnen kopen van de opbrengst van het enige werkelijk waardevolle wat papa na de oorlog van de bezittingen van zijn ouders wist terug te vinden: een echt zilveren, achtenvijftigdelig theeservies, dat ooit waarschijnlijk aan het welgestelde Roemeense joodse meisje Erna, mijn grootmoeder, als bruidsschat is meegegeven toen ze met Arthur trouwde. Een handig huwelijk, dat de twee families goed uitkwam. Voor een forse som werd het gekocht door Van Nelle, en we hebben het nog vaak teruggezien op foto's, in paginagrote advertenties – voor koffie, nota bene. Ons theeservies.

Maar dat hoor ik pas veel later. Nu is het nog een geheim, en met gefluister omgeven. Ik weet niet waarvan wij dingen kopen. Wel weet ik dat dit luxe is. Behalve een nieuwbouwwoning niet ver van de stad een extra huisje in het groen – nou ja, geel en soms ook modderbruin en grijs – van het Groningse land. In de weekeinden spelen we voor landarbeiders, boeren, pioniers, en spreken we Grunnings met de kinderen uit de buurt.

We zijn eindelijk een beetje sportief, stel ik tevreden vast, net gewone mensen met plezier in het leven.

Behalve in de tijden van barok (Scarlatti, Händel, Campra) is het in ons huis lang alleen maar Mozart. Een flinke Brahms-periode wordt afgewisseld door Chopin en Schubert. De bezetenheid voor kamermuziek, trio's, kwartetten, waarvan mijn vader alles koopt wat goed besproken wordt in *Luister, het muziekblad voor klassiek*, loopt door alle periodes heen. In de latere jaren, de jaren dat mijn vader steeds slechter slaapt, zijn het Bartók, Janáček, opnieuw Bach, Prokofjev, Dvořák, Scriabin; zelfs Schönberg vervreemdt de meubels in ons huis bij tijd en wijle van zichzelf.

Maar mijn vader verstout zich soms ineens ook andere experimenten. Simon and Garfunkel zweven onze hongerige oren binnen met hun mijmeringen. Stiekem vind ik het mooi, maar ik voel me er gegeneerd bij, zoals bij alle lekkere, lichte muziek die ik in het bijzijn van mijn vader hoor.

Ook chansons, gezongen Franse poëzie brengt mijn vader mee. Léo Ferré en Jean Ferrat zijn

tijdelijk koning. Wij zijn daarmee ingenomen –
op Simon and Garfunkel na zijn zij zo ongeveer
het meest eigentijdse wat we thuis te horen krijgen.

Zelf muziek draaien is ons nog steeds niet toe-
gestaan – zelfs nu we al tieners zijn. Het recht
om het geluid in huis te beheren behoort nog altijd onvoorwaardelijk mijn vader toe. Nooit zullen wij het ons kunnen veroorloven zijn geluids-
installatie aan te raken. Zelfs de banden die hij
uit voorzorg van zijn platen maakt, mogen wij
niet in de recorder duwen.

'Yellow Submarine' van The Beatles krijgen we
op een dag bij de koffie. We zitten aan tafel en
schrikken en lachen bij het gekrijs van deze Engelse wilden met een vlugge, angstige blik op
mijn vader. Maar tot onze verbazing grijnst hij
waarderend – als socioloog koestert hij interesse
voor het succes van deze nieuwe groep. Hij wil
ook dit doorgronden, kunnen duiden. Wij beluis-
teren The Beatles bij de koffie alsof we ons met
zilveren taartbestek te goed doen aan kleine hap-
jes van een vette, heerlijke, met mosterd en
ketchup overgoten hotdog.

Hoewel ik nog niet zo goed ben als juffrouw
Goebel, voel ik me op de blokfluit inmiddels ta-

melijk thuis. Ik ben behendig, heb techniek. Dat maakt me wantrouwig, alsof het te gemakkelijk en overzichtelijk is om zo door te gaan. De enige muziek die voor fluit werd geschreven is bovendien vooral barokmuziek, en die begint me met al zijn statigheid flink te benauwen. Ik word gek van papa's dagelijkse portie Gustav Leonardt. Door David Oistrach ben ik gaan dromen over de viool. De gedachte wordt versterkt door de aanwezigheid van de viool in huis, de viool van oma Erna. Bij papa thuis speelden ze vroeger kamermuziek, bij het gezang van Arthur, vertelde papa ooit. Erna speelde dan op haar viool. Net als het servies heeft hij die weten te redden van de oorlogsplunderaars.

Ik mag er niet eens naar wijzen.

De logica is van een onzuiver soort, gestoeld op romantiek en sentiment. Want leek ik niet op oma Erna volgens papa? Ik móét wel leren spelen. Iets dweperigs is mij niet vreemd. Ik wil graag in de smaak vallen, de oudste dochter zijn die naar de donkere, oosterse grootmoeder aardt.

Of Erna werkelijk goed speelde, weet ik niet. Daar zegt papa niets over. Ze is dood, en er kan niet over haar worden gepraat. Komt het door die onzekerheid?

Pas na een jaar of vijf ben ik groot en goed genoeg voor Erna's instrument en weet ik het. Dat ik Oistrach nooit van zijn troon zal stoten, nooit van zijn leven. De viool is inmiddels gerestaureerd en ook daarover weten we de waarheid. Het is geen Klotz, zoals papa had gezegd, maar een derivaat, een leerling van de grote bouwer. En al klinkt hij diep en zoet, en vibreert hij veel mooier dan mijn oude lesexemplaar; de droom, even opgevlamd met het zicht op het oude kastanjebruine hout en Erna's geest eindelijk bijna tastbaar aanwezig, is zo levend niet meer als vroeger, merk ik.

Nog een paar jaar sleep ik mezelf met hem naar nieuwe docenten, ook als ik al niet meer thuis woon. Dan dooft de laatste vonk.

Ik besluit om te gaan zingen.

In huis moeten mijn zus en ik altijd stil zijn. Op de trap lopen we zacht en voorzichtig. Van lawaai in huis wordt papa razend. Dan komt het brullen. Alsof we vreemden zijn geworden, anderen dan wijzelf. Soms stormt hij ons achterna de trap op. Of hij schreeuwt, ogen vlammend, met zijn hand op zijn hart: 'Willen jullie soms dat ik kapot ga?'

Als we iemand te spelen hebben, horen we het stampen van zijn voetstappen soms ook als hij niet thuis is. Soms vergeten we het, zeker als we spelen dat ons bed een schip is, en de vloer de oceaan. Het gedreun van voetstappen die razendsnel naderbij komen, past heel even nog als vreselijk noodweer in ons spel – hou die mast vast! – dan flitst het licht aan, wordt ons bed weer bed en worden wij twee betekenisloze, stomme kinderen die niet kunnen bewegen. Mijn vader dondert dat we godverdomme stil moeten zijn, zijn we niet goed bij ons hoofd? en dat hij er genoeg van heeft. En wat moet dat met die gordijnen dicht?

Daglicht doet ons vergaan.

Eenmaal heb ik bibberend van de zenuwen een radiootje in mijn kamer aangezet. Als ik de voetstappen hoor is het te laat. Razend staat hij in de deuropening, hijgend.

'Wat is dat godverdomme!' schreeuwt hij. 'Hoe kom je daaraan?' vraagt hij, wijzend op het aftandse oude ding met zijn rotgeluid.

'Gevonden,' mompel ik.

'Waar? Ben jij gek? Die is van mij, goddomme! Weet mammie dit?'

Ik murmel weer wat. Mama vond het goed. Hij gebruikte de radio nooit meer, vandaar.

Hij schreeuwt. 'Zit daar godverdomme keihard pop te draaien. Ik wil die herrie niet in huis, dat weet je!' – en neemt het ding onder zijn arm mee naar beneden, naar zijn eigen kamer. Hij 'wil dit niet meer hebben!' hoor ik hem nogmaals roepen. 'Wacht hier maar mee tot ik dood ben!'

Er is er maar één die in huis muziek mag draaien.

Als we ouder worden, plagen we onze vader met zijn dictatoriaal bewind en gebrek aan vertrouwen. Onze spot maskeert gaandeweg meer bitterheid. Ergernis en onmacht zijn er ook nog. Er moet hem zoveel vergeven worden dat we soms vergeten waarom.

Het Groningse huisje wordt verkocht en met de opbrengst hebben mijn ouders een groter huis in Haarlem betaald. We verhuizen in december. Haarlem blijkt de donkerste stad ter aarde, waar bovendien de meeste regen valt. De verhuizing was tegen mijn zin, maar na een half jaar van eenzaamheid te zijn weggekwijnd word ik na de eerste zomer, in het weekend, door mijn eerste vriendje meegenomen naar de kroeg.

In het weekend gaat iedereen in Haarlem uit. Mijn vader verbiedt het, maar mijn vriendje, die toetsenist is in een echte band, doet zich vreselijk respectvol voor. Hij speelt in het leukste café van Haarlem, en ik drink bier. Er komen steeds meer mensen die we kennen en daar sta ik dan, een groupie zonder plezier. Ik voel me afgrijselijk overspelig.

Toch ontneemt Poulenc me de volgende ochtend iets nieuws, iets authentieks dat ik op de wereld leek te hebben veroverd. Mijn vaders ochtendjas en zijn rommelige wenkbrauwen maken me verdrietig en mijn maag knijpt zich samen.

De muziek van mijn vader begint steeds onhandelbaarder te worden, moderner, maar niet van het soort modern dat ik in mijn nieuwe wereld hoor.

Als slierten onheilspellende wolken trekken de symfonieën door de kamer. Mijn vader lijkt er steeds heviger door te worden opgezogen. De ogen dicht, de handen voor zijn lichaam als een tastende blinde, dirigeert hij wat hij hoort. Hij is vaak thuis door ziekte, zijn bloeddruk is te hoog, hij eet te veel, slaapt slechter dan ooit tevoren. Ik weiger om me altijd zorgen te maken. Ik ben niet zo heel veel thuis nu, maar eigenlijk ben ik er nog helemaal niet aan toe om onafhankelijk te zijn.

Dan nader ik het eindexamen en word ik steeds beter in de kunst van het honger hebben. Dat maakt van mij ook een dirigent, een dirigent van een evenwicht zo fijn en precies dat ik permanent in een staat van overdreven helderheid verkeer. Ik zweef op een rand, het weerstaan van verleiding wordt mijn levensdoel. Wat de muziek voor mijn vader zo meesterlijk verzacht, daarvan leef ik nu, ik houd mijn adem in, ik houd alles in. Ik word stiller en stiller. De muziek in huis wordt ondertussen steeds luider, langzaam vreet hij mijn vader op.

Pas als ik het huis uit ben, een paar maanden na mijn eindexamen, en weer kan eten, haalt de oorlog mijn vader in al zijn gruwelijkheid in. Niet gaandeweg, maar als een zondvloed. Wat opgesloten was, breekt uit. Hij leest alles wat er is, hij praat, hij huilt. En dan begint hij te schrijven.

Als ik in diezelfde tijd met zingen begin, en Mozarts liederen, *La Traviata*, Mahlers Vierde en *Das Lied von der Erde* ontdek, dringt het voor het eerst tot mij door. Klassieke zang is het enige waar bij ons thuis nooit naar werd geluisterd.

Opera, operette, liederen – niets ervan behoort in de forse collectie van mijn vader. Hij is er niet gek op, zegt hij desgevraagd ontwijkend.

En geeft toe dat hij van alle gezongen muziek misschien vooral een hekel heeft aan de klassieke mannenstem.

Van het zingen van mijn grootvader weet ik lang alleen de plankenkoorts waaraan hij leed. Ik stel me die koorts altijd nogal letterlijk voor. Ik zie een sidderende, hevig transpirerende man, kreunend, brakend in een ijzeren emmer die wiebelt op naakt hout. Langs het gordijn waarachter het publiek vergeefs aan het wachten is, wordt hij geluidloos afgevoerd naar de coulissen. Het maakt hem wel sympathiek, al dat zweet, die kots en angst, maar de vraag waarom hij het dan zover liet komen, lijkt me snel beantwoord: ijdelheid.

Bij Arthur stel ik me daarom altijd een aantal met veel bombarie níet gezongen concerten voor, smadelijke vernederingen van iemand met een nooit gehoorde goede stem. Iemand met ambities, maar zonder het bij aandacht sneller stromende podiumbloed, dat nodig is om een talent aan anderen te kunnen schenken. O, bloemen in de knop gebroken, zong mijn vader vaak, nu moet ik godverdomme weer nieuwe kopen! Of dat lied geïnspireerd is door de zangkunsten van zijn vader, weet ik niet.

Mijn vaders spottende verwijzingen naar het zingen van zijn vader blijven altijd een beetje hetzelfde. Het beeld krijgt weinig diepte, net als de persoonlijkheid van mijn verre, dode opa zelf. Heel erg dol is mijn vader niet op hem geweest, lijkt het – maar hij blijft heilig genoeg om nooit over hem te kunnen spreken, of, voor mij, om naar hem te durven vragen.

Als ik zelf ga zingen begin ik me voor het eerst af te vragen hoe groot de tragedie van deze gesmoorde zangcarrière eigenlijk was. Kon Arthur echt zingen, of was hij gewoon niet goed genoeg?

Of was het uiteindelijk allemaal de schuld van die verschrikkelijke oorlog?

Du holde Kunst, in wieviel grauen Stunden,
Wo mich des Lebens wilder Kreis umstrickt,
Hast du mein Herz zu warmer Lieb entzunden,
Hast mich :in eine bessre Welt entrückt!:

Oft hat ein Seufzer, deiner Harf' entflossen,
Ein süsser, heiliger Akkord von dir
Den Himmel bessrer Zeiten mir erschlossen,
:Du holde Kunst, ich danke dir dafür!:

Dit is het eerste lied dat ik mag zingen. Zingen lijkt op lachen en huilen tegelijk. Het is de sentimenteelste en tegelijk de nuchterste kunstvorm die er bestaat, en wanneer ik precies doe wat mijn leraar zegt, 'Houd alle holten in het hoofd zo open mogelijk, wijd die neus!' verruk ik mezelf met 'Du holde Kunst' tot tranen toe. Dat ik bibber van het geluid dat ik zelf voortbreng, met mijn keel, mijn strottenhoofd, mijn longen, is de ultieme narcistische ervaring. Als een teckel die in haar eigen staart bijt van vreugde, zo zing ik 'Du holde Kunst' en luister ik gelijktijdig naar mezelf, mijn eigen geluid. De cirkel is rond. Ik heb een goede stem.

Mijn zangleraar staat achter me en houdt me bij mijn middel vast om me te laten zien hoe ik mijn flanken gebruik om aan meer lucht te komen. Ademsteun! Ik probeer te stoppen met roken, hij hoort elke sigaret. Mijn hoofd is leeg, een klankkast met snaren ergens in mijn keel, mijn longen een balg die zuigt en pompt. Het is verrukkelijk fysiek, dit zingen, lucht zoemt in en uit en onderweg zet hij van alles in beweging. Het volume dat ik voortbreng groeit. Ik jubel op toon. Mijn zangleraar spreekt over conservatorium, ik wist dit, ik wist dit! Het zijn de genen.

Nu weet ik eindelijk wat zelfvertrouwen is.

Hij wil met me pronken. Ik wil pronken. Het is de muziekschool maar, er zijn misschien tien mensen. Het stelt niets voor. Ik ben niet zenuwachtig, zeg ik. Stel je voor. Tijdens de uitvoering van de anderen slaat mijn hart zo hard in mijn oren dat ik hen nauwelijks hoor spelen. Als ze klaar zijn ga ik, om mezelf te kalmeren, zo sloom als ik kan achter een lessenaar zitten met mijn muziek voor mijn gezicht. Geen angst! Ik kan zingen met mijn genen.

Ik zit anders nooit als ik zing, maar om nu nog

te gaan staan, terwijl de viool en de fluit, mijn begeleiders, beiden ook zitten, durf ik niet. Wat maakt dat hart een verschrikkelijk kabaal, er valt nauwelijks tegenop te schreeuwen.

En voor ik het weet zijn ze begonnen. Muziek is tijd, en hij is gaan lopen zonder mij. Ik val in, op een goed moment, maar dan zijn ze ineens weer veel verder. Ik hoor mezelf, even klinkt het niet slecht, dan schiet er een voorwerp in mijn keel. Het ding, zo groot als een kleine appel, wil niet weg. Zo vol als mijn hoofd nu is met die appel daarbinnen, zo piepklein is mijn borstkas geworden, de lucht die erin kan, past net in een ei. Iemand heeft een riem om mijn ribben gesnoerd en trekt er hard en meedogenloos aan. Van de muziek ontbreekt een pagina of twee, misschien haal ik ze zo toch nog in.

Eenzaam ga ik voort. Waar fluit, viool en piano zijn gebleven weet ik niet, wel ben ik me ervan bewust dat het belangrijk is dat ik blijf doorgaan. Ik heb haast – dit moet gauw afgelopen zijn. Ik voel geen vreugde ditmaal, geen jubeltonen, wel een onbekend, diep verlangen naar stilte. En omdat ik nog steeds bang ben dat de anderen al stiekem verder zijn dan ik, sla ik één gehele bladzij over. Ik hoor mezelf, een leeuwerik die moderne flarden voortbrengt, die ik niet ken. Naarstig zoek ik naar de andere partijen in mijn boek, maar ik kan ze niet meer vinden. Waar is iedereen toch gebleven?

Als ik al klaar ben, hoor ik hen aarzelend naar de finish koersen. De rommelige stilte die dan intreedt is voor iedereen een onbevredigende verrassing. Delen van de ruimte lijken te zijn verdwenen.

Een flauw geklap dringt tot me door als ik naar mijn plaats loop. Mijn middenrif doet pijn alsof ik dagenlang een hoge berg heb proberen te beklimmen, en in mijn oren zeurt een fluittoon. Mijn oksels zijn nat en ik wil overgeven.

Mijn zangleraar geeft me een koel knikje. 'Dat ging niet helemaal goed, hè?' zegt hij neutraal. In zijn blik zoek ik naar begrip, vergeefs. Dan schud ik mijn hoofd, woordeloos. Nog even overweeg ik rechtzetting van bepaalde schijnbaarheden, met omstandigheden, oorzaken, verhalen. De moed ontbreekt me.

Als hij er een dreigend 'tot woensdag' aan toevoegt, zeg ik alleen: 'Ja! Dag.'

Du holde Kunst, ich danke dir dafür.

Ik heb het ook.

Mijn vader gaat boeken schrijven. Ik ben verbaasd over mijn weerzin, mijn gebrek aan nieuwsgierigheid, maar ik lees ze. Ik duw ze naar binnen, als karton in mijn mond.

Alles schokt me, zowel de toon als de inhoud, die nooit voor mij bedoeld was. Het vervreemdt hem van ons, maar brengt hem daarna dichterbij, als tijdens een hernieuwde ontmoeting. Steeds als ik wat nieuws van hem lees, is er dezelfde aarzelende dynamiek. Een geheime kamer ontsluit zich, maar alles wat erin staat lijkt maar heel even tot me door te dringen. Dan gaat de deur weer dicht. Het is me te ver weg. Anderen moeten dit maar lezen. Voor anderen is het geschreven. De ragfijne draden tussen ons, dat tere familieweefsel van gewoontes en verzwegen herinneringen, scheurt. We worden volwassenen nu de waarheid er ineens is. Mijn vader zit in het midden.

De waarheid onthult dat hij altijd verzwegen werd.

Ik ben blij dat dit schrijven mijn vader helpt. Dat de verstening is opgeheven. Wij weten nu dat wij hem niet kunnen helpen; eigenlijk staan we alleen maar aan de kant naar hem te kijken. We troosten hem, hulpeloos als hij is in zijn verdriet, omringd door herinneringen aan oorlog, vernederingen, kampen die we niet kunnen zien. Want het ergste zet hij niet op papier. Alleen de belangrijkste dingen heeft hij met zijn breipennen opgehaald. Van zijn herinneringen, enorme balen oude wol, heeft hij mooie, kleine truitjes gebreid. Maar de onontwarbare strengen met de knopen, waar de mot in zit, en de schimmel, die liggen er ook nog steeds. Het doet pijn om hem te zien met al dat verdriet. We beseffen dat we bedrogen zijn. Dit is een vader die we helemaal niet kennen, die we nooit hebben gekend. Hij zal het kind dat hij was nooit meer terugvinden, maar tegelijkertijd is hij nu gedoemd er voor altijd een te blijven.

De enige die hem begrijpt is zijn sombere, enge muziek; die spreekt zijn taal oneindig veel vloeiender dan wij.

Dat mijn vader blijkt te hebben geleefd voordat wij er waren, dat de vreemde mensen op de foto's werkelijk hebben bestaan, wil zich op de een of andere manier niet aan mijn hersens hechten.

Ik lees zijn boeken en vergeet ze weer. Ik lees ze opnieuw en ook dan kan ik er niets uit onthouden, het is alsof mijn hoofd ze niet kan opnemen, als olie op water, steeds moet ik terugzoeken hoe mijn vaders geschiedenis eruitzag – alsof ik van de opeenvolging van zijn zinnen geen geheel kan maken. Steeds is alles weer nieuw.

Mijn vader ~~leeft niet~~ meer als mijn moeder van de zolder van ons ouderlijk huis een ~~doos met~~ enorme boeken naar beneden zeult. Alles moet weg, vindt ze. Ze ruiken naar oud stof, nemen te veel ruimte in. Ik geef haar groot gelijk. Dan zie ik wat voor boeken het zijn.

Het zijn partituren, de muziekboeken van Arthur, minstens tien zware delen, sommige in goud op snee, sommige kapot, half uit elkaar hangend, alle partijen die hij zong met blauw kleurpotlood onderstreept. Ik vind Wagners *Tristan und Isolde*, Puccini's *Die kleine Frau Schmetterling*, Mozarts *Entführung, die Zauberflöte* en *Le nozze di Figaro*, Rossini's *De barbier van Sevilla*. Grote, oude, versleten boeken, sommige tweedehands aangeschaft, andere overgenomen van Ilse Solomonica, de flamboyante zuster van mijn grootmoeder Erna. Ook vergeten grootheden liggen er tussen, operettestijl zo te zien, drie opera's van Albert Lortzing: *Der Waffenschmied, Undine,* en *Zar und Zimmerman*.

In een uitgave van Wagners *Die Meistersinger*

von Nürnberg, een van de mooiste boeken van de verzameling, vind ik ten slotte het persoonlijke dat ik ongeweten zocht. Binnenin, op de kaft, staat een opdracht van Benno Durlacher aan zijn jongere broer Arthur, in een sierlijk handschrift, gedateerd 1 april 1920, Baden-Baden.

Lieber Bruder,
Nimm dieses Werk des grossen
Bayreuther Meisters zum Andenken
an Deinen 18. Geburtstag.
Wenn Du die Titelpartie mal kreierst,
dann kannst Du wirklich von Dir sagen
'Ich bin Ich'

B.-Baden 1. April 1920
Benno

Ik confisqueer de verzameling dikke, pompeuze muziekboeken uit een vergane wereld.

Waar zijn dit de overblijfselen van? Pas wanneer ik de boeken weer een voor een in hun doos terugleg, vallen mij de woorden op die op het binnenblad geschreven staan.

Arthuro d'Alberti, operazanger

DEEL TWEE

Om materiaal te vinden voor een voordracht over mijn vaders werk, lees ik in 2005, twintig jaar na het verschijnen van zijn eerste boek *Strepen aan de hemel*, mijn vaders gehele oeuvre eindelijk opnieuw.

Ik weet niet waarom, maar voor het eerst lijkt wat hij schreef werkelijk tot me door te dringen. Ben ik niet meer uitsluitend bevangen, verdwaasd over het feit dát hij spreekt, dát ik hem lees, dát hij eindelijk vertelt wat er toch was, al die jaren lang. Niet langer is er ergernis om de schrijverswoorden waarachter hij, die ik toch ken, zich verbergt; integendeel, die precieze schrijverswoorden houden hem en zijn verhalen overeind. De bedachtzaamheid van zijn zinnen en de geconstrueerde cadans van zijn woorden doen me naar nieuwe dingen in zijn verhalen zoeken. Wie hij eigenlijk was, bijvoorbeeld. En wie mijn grootouders waren, de verdwenen vreemdelingen, de schimmen wier graf nergens is.

De eerste keer dat er melding wordt gemaakt van Arthur en Erna, de ouders van mijn vader, is in *Strepen aan de hemel*, waarin wordt beschreven hoe hij met hen in Westerbork aankomt.

'Westerbork, 3 oktober 1942, dag van ontzetting,' zo begint het. 'Ik angstig wachtend bij de rugzakken, bevangen door fantasieën van verlatenheid in een woud van mensen. [...] Mijn ouders op zoek naar bekenden, om uit collectief niet-weten schijnzekerheden te bouwen. Speurend naar de koffers die langs de spoorlijn, kilometers voor de kampingang, achtergebleven waren bij mannen in overalls met petten op en banden om de linkerarm.'

Het roept meteen rotbeelden op die me somber maken. De paniek van radeloze ouders, een bange jongen. Ik weet de feiten. Al jaren daarvoor waren ze gevlucht uit het mondaine Duitse stadje Baden-Baden naar Rotterdam, en vandaar naar Apeldoorn.

Weer zie ik de wachtende jongen, mijn vader, net veertien jaar oud, als voor het eerst. Ik denk aan de ouders, de vader van mijn vader. Dat is precies wat ook hij zou hebben gedaan, denk ik, proberen schijnzekerheden op te bouwen. Koffers zoeken met spullen, spullen die houvast moeten bieden, een leven herstellen zoals het was.

Kort, in een flits, zie ik in mijn vaders vader hém. Ik zie ons als gezin op vakantie in Italië, mijn vader in gesprek met de Italiaanse verhuurder van ons huisje, een proleet. Schreeuwend, de ligging van het huisje is verkeerd, de muziek van de buren maakt hem gek, een verkeersader stuwt vrachtwagens langs de achtertuin.

Paniek en razernij om onrecht, om omstandigheden waarin hij terecht was gekomen die hem ontwrichtend voorkwamen en die hij niet, nooit meer aankon. Met verbaal geweld proberend de orde terug te veroveren op de chaos. Ik was bang. Wat wilde ik de wereld graag voor mijn vader herstellen, het huisje herbouwen, de buren verwijderen, de verkeersader lamleggen. Ik was vier en die hele godvergeten hete vakantie in Italië lang droeg ik een wollen vestje over mijn blote lijf, dat voelde veilig.

Als ik aan Arthur denk... voel ik bijna hetzelfde als bij mijn vader: verscheurend mededogen. Het verschil is dat ik van Arthur niet houd, ik kende hem immers niet, hoe herkenbaar hij van verre ook lijkt. Arthur, wiens tragedie in Westerbork pas echt begon. Het begin van het onvoorstelbare. De breuk met een wereld die meer hoorde bij Duits-zijn, gewoontes, tradities dan wij ons nog kunnen voorstellen. Daar stonden ze. Zonder bed voor de nacht, zoekend naar schijnzekerheden, aan het begin van het einde.

In alle gedachten aan Arthur en Erna overheerst altijd het einde. De oorlog. De kampen waar zij stierven. Er werd over hen gezwegen, alsof zij uitsluitend in het hoofd van mijn vader een plaats mochten hebben. Hun naam te noemen veroorzaakte elektrische schokken in mijn vaders gezicht. Je zou bijna vergeten dat er levens aan vooraf gingen.

In mijn vaders boeken zoek ik opnieuw naar

Arthur. In zijn muziekboeken zoek ik Arthuro d'Alberti. De Arthur voor het einde, zonder het einde, de Arthur die wilde zingen en onsterfelijk wilde worden, de Arthur die zou kunnen zeggen *'Ich bin Ich'*. De operazanger.

Wagners *Die Meistersinger von Nürnberg* ligt boven op de stapel boeken van Arthur. Het moet een grote liefde zijn, Wagner. In *Drenkeling* schrijft mijn vader het al.

> 'Het toverwoord Bayreuth legt iedereen het zwijgen op. Oom Jacob en mijn vader slepen zware fauteuils voor het radiokastje waarop de nieuwe Blaupunkt staat en weldra dreunen de Walküren, de Meistersinger of Elsa von Brabant door de eetkamer. [...] Wagner, wiens bronzen plaquette op de vleugel staat, is onze huisgod.'

Ook mijn oom Leofried, mijn vaders volle neef, die in eigen beheer een boek uitgaf met zijn herinneringen, schrijft over Wagner en diens heiligenstatus in dit joodse, sterk geassimileerde milieu. Wagners muziek werd in die beginjaren duidelijk nog niet met Hitler geassocieerd.

Of Arthur werkelijk de rol van Sachs, of van diens leerling David, voor een publiek gezon-

gen heeft, zullen we wel nooit meer te weten komen. Ik weet alleen wat ik zie: dat de partij van
de hoofdrolspeler met blauw is onderstreept.

Deels door mijn vaders boeken, maar ook door de memoires van Leofried, vind ik wat informatie.

Arthur Durlacher wordt op 1 april 1901 geboren in Baden-Baden, als tweede zoon van Leopold en Sophie Durlacher. Zijn vader Leopold sterft wanneer hij twaalf jaar oud is en zijn moeder Sophie zet noodgedwongen in haar eentje de zaak in antieke en gebruikte meubels voort. Arthurs oudere broer Benno, nog maar vijftien, komt haar helpen, waarna de zaak vanaf 1918 uitgroeit tot een speciaalzaak in woninginrichting en bedden (door de grote hoeveelheid hotels in het kuuroord Baden-Baden was daaraan grote behoefte).

Als Arthur achttien is, zijn de familiefinanciën kennelijk weer enigszins onder controle, want hij hoeft niet in de zaak maar mag in plaats daarvan naar het conservatorium in München – om zang te studeren. In Leofrieds boek vind ik de volgende passage.

'Oom Arthur had zijn zinnen gezet op een car-
rière als operazanger en studeerde in München. Hij was een imposante verschijning en
kon bijzonder charmant zijn. Reeds tijdens
zijn jongelingsjaren heeft hij bij de jonge
dochters van het Joodse meisjespensionaat
menig hart sneller doen slaan. Eens werd een
amoureus samenzijn door de directrice ont-
dekt. Die liet de vader van het meisje met
spoed naar Baden-Baden komen. Tijdens de
confrontatie heeft de jeugdige Arthur zich met
een aria uit "Der Vogelhandler" verontschul-
digd. Of de gloedvol gezongen woorden "Ach
ich hab sie ja nur auf die Schulter gekusst" de
volle waarheid weergaven werd nimmer geheel duidelijk.'

Hierna wordt de geschiedenis wat mistig. Van
mijn moeder hoor ik dat Arthur toen in de zaak
móest, en niet verder mócht studeren. Nu was
het wel mooi geweest, schijnt oma Sophie te
hebben gezegd. Van oom Evan, de broer van
Leofried, eveneens geboren in Baden-Baden,
hoor ik dat oma Sophie als volgt wordt geci-
teerd: 'Ja, er hat studiert. Was hat er studiert?
(Korte stilte.) Antwoord: Mädchen!'
Zou dat de reden zijn voor Arthurs afgebro-
ken zangcarrière, een affaire met een meisje, een

ongewenste zwangerschap wellicht? Of werd het contrast tussen de twee broers te pregnant – de een al jaren kostwinner, de ander de vogelende, freewheelende zangartiest? Leofried vat het in elk geval neutraal samen.

'Kort voordat mijn ouders trouwden brak hij (Arthur) zijn studie als zanger af en werd als partner in de meubelzaak opgenomen. Zeer verschillend in karakter vulden beide broers elkaar in menig opzicht aan. Benno als organisator en kundig administrateur. Arthur als bij uitstek succesrijk verkoper.'

Iets later trouwt Arthur met Erna Solomonica, de dochter van een zeer welgestelde (lees: steenrijke) Roemeens-joodse zakenman. De flinke bruidsschat die zij meebrengt wordt in de zaak gestopt, die ondanks de inflatie nog tijdenlang floreert, wat bijzonder is in het instabiele Duitsland. Het vermoeden bestaat dat deze bruidsschat, meer dan de liefde alleen, wel eens de achterliggende gedachte van het huwelijk kan zijn geweest. Nee, dat huwelijk was niet erg goed, vertelt mijn moeder. En Evan, Leofrieds jongere broer, die ik bezoek omdat hij het enige familielid is dat Arthur zelf heeft meegemaakt, zegt dat Erna altijd zo stil was. Alsof ze bang was voor Arthur.

Van Ilse, Erna's zuster, horen mijn ouders vele jaren na de oorlog dat het voor velen in de familie duidelijk was dat Erna verliefd werd op Hans Fleischmann, de gevluchte artiest die bij hen woonde, eerst in Rotterdam, later ook in Apeldoorn. Er wordt zelfs gezegd dat zij na de oorlog met Fleischmann wilde trouwen...

Maar dat is later. Wat bedoelt oom Leofried eigenlijk, wanneer hij het in zijn boekje heeft over 'de levensstijl van mijn oom [Arthur] [die] niet te allen tijde in overeenstemming [was] met de opvattingen der overige familieleden'?

Leofried wijdt wel meer meesmuilende zinnetjes over complicaties in de omgang tussen de families, die tot elkaar waren veroordeeld door de gedeelde verantwoordelijkheid voor 'de zaak'. Arthur scheen behoorlijk autoritair te zijn, en de dames, onder wie zijn schoonzuster Jet, zo'n beetje als ondergeschikten te behandelen. Ook konden Jet en mijn oma Erna niet erg met elkaar opschieten – wellicht, suggereert Leofried, omdat Erna opgegroeid was in een uiterst vermogend gezin en moeilijk kon wennen aan de nieuwe leefomstandigheden.

Doelde Leofried daarop: op de gewoontes en verwachtingen van Erna, of schrijft hij hier in bedekte termen over de te hoge levensstandaard van Arthur, en gaat het over diens flamboyante,

wat al te charmante gedrag in het algemeen?
Want zoals in elke familie gaan er geruchten.

Arthur reisde als vertegenwoordiger veel rond
voor PAUSA, het textielmerk voor dure gordijn-
en meubelstoffen van de beide broers, en voor
VENUS, een lingerielabel waarvan hij het agen-
tuur kreeg in Zuid-Duitsland en later, toen hij
met zijn gezin naar Rotterdam kwam in 1937, in
Zuid-Nederland.

Gefluisterd werd dat Arthur op deze reizen
niet alleen was. Dat het model dat altijd met
hem meeging hem ook privé haar lingerie toonde, en meer dan dat.

Arthur was naar verluidt een grote, imposante man. Mijn vader beschrijft Arthurs gestalte als volgt, in *Drenkeling*. De familie is op weg naar de schouwburg, waar ze net als alle andere welgestelde Duitse burgers, frequent kwamen:

> 'Hij loopt enige passen voor ons uit. Een reus met donkere zware jas en stijve zwarte hoed met ronde rand, de Edenhat. Zijn wandelstok, het wonder van de verborgen paraplu, is groter dan ikzelf. Haast nooit gebruikt hij hem als steun bij het lopen; het is de lange wijsvinger waarmee hij mensen en dingen aanwijst en die hij omhoog zwaait bij elke groet.'

Waar is de muziek gebleven te midden van dit alles?

Een muziekkamer, mét vleugel, noemt mijn vader al in Baden-Baden. Maar of Arthur na het conservatorium bleef zingen, laat staan optrad, staat nergens in *Drenkeling*. Wel dat er veel naar muziek werd geluisterd. Kuuroord Baden-Baden had een rijk cultureel leven en muziek speelde daarin een zeer belangrijke rol. In Leofrieds memoires staat beschreven hoe *Das Kur-Orchester* van de stad twee keer per dag licht klassieke en populaire composities uitvoerde in de Kur-Garten, waar de familie vaak naartoe ging.

Mijn vader heeft het pas weer over zingen als hij en zijn ouders al uit Duitsland weg zijn. De plankenkoorts die voor mij lange tijd met Arthurs zangcarrière synoniem was, staat pas beschreven in het eerste hoofdstuk van *Quarantaine*, mijn vaders vierde boek.

Inmiddels woont de familie dan al in Rotterdam. Een klein jaar voor de Kristallnacht zijn ze met zijn allen gevlucht uit het vertrouwde, maar ook steeds vijandiger Baden-Baden waar Arthur was opgegroeid, en waar zijn zoon Gerhard, mijn vader, de eerste achtenhalf jaar van zijn leven had gewoond.

Ze mogen nog van geluk spreken ook – dat ze hebben kunnen vluchten met al hun meubels, en een goede flat in Rotterdam hebben gevonden. Slechts een paar weken na de Kristallnacht, eind '38, zal het gastvrije Nederland zijn grenzen stevig sluiten voor de stromen joodse vluchtelingen die panisch uit Duitsland proberen weg te komen. Ver ten oosten van de bewoonde Nederlandse wereld is dan inmiddels al begonnen met de bouw van een opvangkamp.

Toch verbleken de herinneringen aan hun vlucht langzaam en ook hier weten ze weer een leven op te bouwen. Arthur reist nog steeds veel als vertegenwoordiger voor PAUSA, nu vooral in Zuid-Nederland. Erna is veel alleen. Zij kan maar moeilijk wennen in Nederland. Beiden, zij en Arthur, zijn hun wereld kwijt, al maken ze er het beste van.

En dan, twee jaar later, brengen de vluchtelingen van het stoomschip de St. Louis die in die dagen in Rotterdam aankomen, verhalen mee die ieders zenuwen opnieuw tot het uiterste aanspannen.

Meer dan negenhonderd joodse vluchtelingen uit Duitsland hadden na de Kristallnacht al hun bezittingen verkocht om een nieuw leven te kunnen beginnen in Cuba, waar hun asiel en vrijheid was beloofd. De grenzen van de buurlanden sloten zich een voor een, en het was niet zomaar dat deze wanhopige joodse gezinnen bereid bleken voor deze (illegale) laatste strohalm hun hebben en houden te verkopen om zich te redden. Vergeefs, zo bleek. In Cuba werd vuil spel gespeeld, hun werd op de valreep nog meer geld afgetroggeld, ditmaal ten behoeve van de president zelf, en uiteindelijk werden ze niet in het land toegelaten. Het merendeel van het geld dat ze hadden betaald bleek in de zakken te zijn verdwenen van corrupte douaniers die naar de pijpen van de nazi's dansten. Ook de Verenigde Staten weerden hen, evenals de Canadezen.

Er zat niets anders op dan terug naar Europa te varen. Ten slotte was België het eerste land dat zich bereid toonde een deel van de vluchtelingen asiel te verlenen, waarop Frankrijk, Engeland en Nederland volgden.

Honderdnegentig van hen kwamen aan in Rotterdam, waar ze het onder uiterst armelijke omstandigheden moesten zien te redden. Eerst werden ze verbannen naar een tochtig abattoir in Heijplaat, en daarna werd hun de koude, kale aankomstloods van de Holland-Amerikalijn ter beschikking gesteld, waar ze mochten slapen op stromatrassen.

Hoe dit Arthur en Erna allemaal ter ore kwam, vertelt de geschiedenis helaas niet, maar je kunt je voorstellen dat dit verhaal over gevluchte joodse lotgenoten, allen kunstenaars, advocaten, artsen, die nu hier in dezelfde stad moesten zien te overleven onder armoedige omstandigheden, hun niet kon ontgaan.

Dat ze persoonlijk betrokken bij hen raakten, kwam onder meer door Fifi Ehrlich, de dochter van een van de drie eigenaren van het door de crisis kwijnende, doch beroemde bioscoopimperium van Abraham Tuschinski, Gersjtanowicz en Ehrlich, schrijft mijn vader. Samen met vrienden probeerde zij hulp en goederen voor de vluchtelingen te organiseren. Doordat haar vader nog steeds eigenaar was van het toenmalige Arenatheater (thans de Roxy) mocht ze in de ochtenden de bioscoopzaal (vóór de matinee-voorstelling) gebruiken voor amateurvoorstellingen om hen wat op te beuren.

In dit verband moeten deze vrijwilligers de professionele artiesten hebben leren kennen, die als vluchtelingen in Rotterdam op kamers zaten, zoals Hans Fleischmann, voormalig acteur van het Wiener Volkstheater, en Hermann Feiner, regisseur en toneelschrijver uit Berlijn, dat tot 1933 de sprankelende hoofdstad was van de Europese muziek- en theatercultuur.

Via via moet men hebben vernomen dat Arthur en Erna in de zeldzame omstandigheid verkeerden over een vleugel en een relatief ruime woning te beschikken. Het is niet zeker, maar wel waarschijnlijk, dat dat een van de redenen is geweest dat zij actief werden betrokken bij het plan om een benefietconcert voor de berooide thuislozen te organiseren. Tijdens de repetities en vergaderingen, noodzakelijk voor deze gebeurtenis, hebben ze waarschijnlijk Feiner en Fleischmann leren kennen, die later bij het gezin zouden intrekken en als kamerbewoners hun leven zouden delen tot hun gezamenlijke arrestatie en deportatie naar Westerbork aan alles een einde maakte.

In *Quarantaine* beschrijft mijn vader de avonden in de muziekkamer bij hen thuis, met zan-

gers en instrumentale solisten (waaronder ook
St. Louis-vluchtelingen).

'Onze muziekkamer wordt vele avonden ge-
vuld met liederen en operaflarden, maar ook
met rook, koffiegeur en zoete gebaklucht. Dezelfde uitvoerenden en luisteraars komen
punctueel voor of na de maaltijd. [...] De
frons op de gezichten van onze gasten van de
St. Louis verdwijnt langzamerhand. De muziek, de gezelligheid, maar ook de genegen-
heid die zij ontmoeten, verjagen voor enkele
uren de zorgen. Geleidelijk aan verscherpt de
discipline bij de repetities en voor lang gepraat is nu geen tijd meer. Niemand heeft aandacht voor mij. Liederen, aria's en duetten die
ik steeds met stukjes en beetjes in eindeloze
herhaling heb gehoord, krijgen een herkenba-
re vorm.'

Dat Arthur hierbij optreedt, is zeker.

'Met trillende vingers probeert hij de stijve
fronthelften van het rokhemd dicht te knopen.
Over zijn rode voorhoofd lopen zweetdruppel-
tjes. Het neuriën van de toonladders houdt
plotseling op en mijn vader roept de naam van
mijn moeder, bevelend en met een ondertoon

van hulpbehoevendheid. Zij verschijnt op de drempel van de slaapkamer. Haar zwarte avondjurk van crêpe de Chine, die zij lang voor onze vlucht naar Nederland in een chique modezaak in Baden-Baden onder de keurende blikken van hem en mij heeft gekocht, is nog niet dichtgeritst. Moeiteloos sluit zij zijn rokhemd, alleen het boordenknoopje biedt weerstand.

Mijn vader sputtert opgewonden dat hij met zo'n nauwe boord niet kan zingen. Zenuwachtig rukt hij eraan. De stijve halsband springt als een veer open. Zijn opwinding stijgt. "Mijn stem is weg; ik breng geen noot uit; ik kan niet optreden; bel dat ik niet kom; ik voel me niet goed; ik geloof dat ik koorts heb," zegt hij hees. Mijn moeder probeert hem met sussende woorden te kalmeren. [...] Fleischmann, ook acteur, haalt een heupfles met cognac uit zijn zak en houdt hem die voor. "Niets anders dan plankenkoorts, Arthur. Je hebt al zo lang niet meer op het toneel gestaan. Je zal zien, het gaat over zodra we onderweg zijn. Neem een paar slokken. Je zult zingen als Gigli." Mijn vader sputtert tegen, maar wordt toch wat rustiger. Als mijn moeder zijn weerbarstige boord sluit en de witte vlinderdas strikt, staat hij dat zonder morren toe.'

Wat dan volgt, bewijst dat Arthur zichzelf deze keer weet te vergeten en zo de zoon verrast.

'Als mijn vader aangekondigd wordt, heb ik plankenkoorts. Zijn eerste tonen lijken hees en ik word warm en koud. Dan gaat zijn stem open alsof er een last van hem af valt. "Das Wandern", "Das Roslein", "Der Linden- baum", "Ungeduld"... ik ken ze allemaal. Zelfs de sombere liederen van Wolf herken ik. Duizendmaal heeft hij ze thuis gezongen en nooit durfde ik ze mooi te vinden. Maar hier, in deze zaal met honderden geboeide luiste- raars, verandert bij toverslag mijn appreciatie en ben ik er trots op dat vader zoiets kan.'

Dus toch!

'O, hemel,' zucht mijn vader als ik hem vertel dat ik Schubert-liederen zing op les. Ik neurie 'An die Musik' als ik in het weekend weer eens thuis ben en laat heel soms mijn stem schallen om indruk te maken. 'Du holde Kunst!' brul ik.

Wat denkt mijn vader? Zeggen doet hij eigenlijk niet veel als hij het opvangt. 'Tjonge jonge, o, hemel.' Of: 'Ja, ja.'

Te dichtbij? Niet goed genoeg? Maar als mijn vriendin Judith Mok, een echte podiumzangeres, optreedt, raakt hij stom, gestokt in dezelfde ademloosheid als mijn kinderen overvalt bij het horen van iets moois. Als zij in de auto naar muziek luisteren is het alsof zij met windkracht 10 tegen de achterbank worden geduwd en gevangen gehouden: onbeweeglijk, armen naar achteren, monden open. Bevangen door een emotie die eigenlijk te groot voor hen is.

Ook mijn vader hoort als kind muziek in de auto. Maar hij luistert naar het gezang van zijn ouders.

'Op de achterbank van onze donkerblauwe Adler, mijn vaders smetteloze trots, zie ik slaperig het bergachtige landschap voorbij trekken. Op lange rechte stukken weg, als de auto rustig gromt, schuift hij zijn witte reispet achter op het hoofd en zingt uit volle borst. Mijn moeder valt in en tweestemmige aria's vullen de cabine vrijer en vrolijker dan in onze muziekkamer thuis.'

De familie is hier op weg naar Italië, naar Riva, om vakantie te vieren. Het is juli 1934.

De vrolijkheid zal niet duren. Tegen het einde van de vakantie staan de ouderen op de kade te luisteren naar de luidsprekers, waaruit alarmerende berichten schallen over de (mislukte) coup van de nazi's en de moord op Dollfuss. Op dat moment, alle volwassenen kijken slechts één kant op, ziet mijn vader, dan net zes jaar, een jongetje verdrinken. Hij schreeuwt en wijst, en door zijn toedoen wordt het kind op het nippertje gered.

Als ze kort daarna terugrijden in de richting van Duitsland, op weg naar huis, ziet mijn vader vanaf de achterbank de nekken van zijn ouders. 'Ze lijken gebogen. Uit hun mond komt geen lied zoals op de heenweg. Nergens is het warm en veilig,' schrijft hij.

Als een aardige chemieleraar mijn vader na de oorlog de Schubert-liederen voorspeelt die ook zijn vader vroeger zong, luistert hij daar ondanks deze herinneringen met gemengde gevoelens naar. 'Nostalgie en irritatie strijden om voorrang. Het verleden mag mij niet verlammen,' schrijft hij.

Het verbaast mij. Nostalgie kan ik me voorstellen, irritatie niet.

Is angst voor nostalgische verlamming de enige reden dat mijn vader de liederen die Arthur zong, nog steeds zo slecht verdraagt?

Mijn vader schrijft verder weinig over het zingen van zijn vader. Ergens vermeldt hij dat Arthur het gezin onder andere weet te onderhouden met het geven van zanglessen. Dat is in Apeldoorn, waar ze na Rotterdam met zijn allen naartoe zijn gevlucht, een woning hebben gevonden en een paar relatief rustige jaren wonen.

Tot 3 oktober 1942. 'Niet later dan een uur of vijf in de middag, een uur waarop je denkt: vandaag komen ze niet meer. Maar ze kwamen: een van de Grünen met twee Nederlandse politiemannen.'

Dit is het begin van het einde. Mijn familie gaat naar Westerbork.

Voor zingen of muziek lijkt in dit oord geen plaats meer.

Of wel?

In *Quarantaine* schrijft mijn vader uitvoerig over het onwaarschijnlijke fenomeen dat zich in Westerbork voordoet: een cabaret, waarbij gezongen werd, geschmierd ook. Cabaret op hoog niveau. Als jongen van veertien weet hij er soms een glimp van op te vangen door zich als reparateur van stoelen en banken voor te doen. Zijn vader heeft er een baantje als toneelknecht, schrijft mijn vader, en had daardoor 'een wankele Sperre', wat uitstel van deportatie betekent, velen geloofden zelfs: afstel.

Vanaf december 1942 tot juni 1944 worden er in het kamp in totaal zes professionele revues opgevoerd, door allerlei internationale joodse artiesten, hierheen gedeporteerd. De meeste komen uit Berlijn en Wenen maar er zijn er ook uit Nederland, en al voor de oorlog gevierd in heel Europa. Leider van het cabaret werd de beroemde Max Ehrlich, die in Berlijn zijn eigen theatergroep had gehad, vele films had gemaakt, maar onder druk van de nazi's had moeten vluchten. In Nederland sloot Ehrlich zich aan bij de theatergroep van Willy Rosen, het emigranten-cabaret dat veel in Scheveningen optrad, die in kamp Westerbork zou worden voortgezet als De Gruppe Bühne Lager Westerbork, met onder anderen Kurt Gerron (bekend van *Der Blaue Engel*, waarin hij de goochelaar speelt tegenover Marlene Dietrich, en als de latere regisseur van de beruchte propagandafilm die de nazi's in Theresienstadt lieten maken: *Hitler schenkt den Juden eine Stadt*), Erich Ziegler, Camilla Spira, en vele anderen. Het waren allemaal professionele artiesten die in deze groep optraden, schreven en componeerden. Hermann Feiner, de huisgenoot van mijn grootouders, speelde vele komische rollen in het cabaret.

Ook werd er veel gemusiceerd in Westerbork (ongeveer de helft van het Concertgebouworkest zat er) en er werden diverse balletuitvoeringen gegeven.

Het lijkt nu misschien onvoorstelbaar, maar Westerbork bezat voor dit alles een professionele schouwburg. In de jaren voordat Westerbork een officieel doorgangskamp werd, en vooral als opvangkamp voor buitenlandse gevluchte joden werd gebruikt, was een schouwburg gebouwd in een van de barakken, compleet met decors en belichting, die niet onderdeed voor andere, échte, schouwburgzalen.

De artiesten die aan de verordonneerde cultuurvoorziening bijdroegen, werden als uitverkorenen beschouwd, zij kregen allen *Sperren*.

De reden voor de zorg en aandacht voor dit zo cynische Westerbork-instituut, was dat kampcommandant Gemmeker wat schijnrust in het kamp hoopte te brengen, om zo de gevangenen af te leiden van de waarheid: dat iedereen geleidelijk zou worden afgevoerd naar de vernietigingskampen in het Oosten.

Het publiek van de georganiseerde voorstellingen bestond voornamelijk uit gevangenen, maar Gemmeker profiteerde zelf eveneens flink van de uitvoeringen en nam geregeld andere ss'ers, zoals Aus der Fünten, mee om voorstellingen bij te wonen. Alles werd in het Duits uitgevoerd. Het in Westerbork tewerkgestelde beroemde Amsterdamse zangduo Johnny en Jones, die in het Nederlands zongen, met een nep-Amerikaans accent nog wel, vond daarom in het cabaret geen plaats. Het werd hun zelfs verboden om op te treden. Alleen ondergronds deden ze dat, met zijn tweeën, tussen de barakken.

Zowel Philip Mechanicus, de bekendste chroniqueur van Westerbork, als schrijfster Etty Hillesum, werden misselijk van het cabaret. De perversie van het afgedwongen vermaak maakte hen razend. Anderen zagen er juist bevrijdende kwaliteiten in. Feit was dat er elke dinsdagmorgen een trein van het perron van Westerbork vertrok – waarna er diezelfde dinsdag 's avonds in de schouwburg een voorstelling plaatsvond. Dit ging door tot de zomer van 1944.

Toen werden alle voorstellingen ineens gestaakt.

Alle cabaretiers, toneelspelers en musici – van de beroemde acteurs en cabaretiers uit Berlijn, de leiders van het kampcabaret Max Ehrlich, Kurt Gerron en Willy Rosen, tot de dansmeisjes van de revue – werden in september 1944 tegen alle beloftes, *Sperren* en verwachtingen in met veewagons naar het Oosten afgevoerd.

Arthur, schrijft mijn vader, wist in zijn hoedanigheid van toneelknecht soms kaartjes af te troggelen van Max Ehrlich voor zijn moeder en hemzelf. Zelf was mijn vader, toen veertien jaar oud, verliefd op Hannelore, een van de dansmeisjes, 'die haar rol het charmantst en sierlijkst uitvoerde. [...] Als ik de zaalwacht eens niet kon foppen, bleef ik tijdens de hele voorstelling als een waakhond voor de deur om geen noot van haar te missen.'

De nederigheid van de mededeling verbaast me bij hernieuwde lezing. Toneelknecht? Was Arthur dan alleen toneelknecht in het cabaret? Mijn vader verzuimt in zijn boeken commentaar op zijn vaders schamele wapenfeit. Alleen over Hannelore schrijft hij uitgebreid; Hannelore, vier jaar ouder dan hijzelf, die hem niet ziet staan.

Als volwassen man ziet hij een foto van haar terug, in een boek van Willy Lindwer over Westerbork. Ze heeft de oorlog overleefd.

Maar in hetzelfde hoofdstuk in *Quarantaine*

schrijft hij ook over zijn verrassing dat hij zijn vaders gestalte herkent op een van de foto's van het cabaret. Was mijn vader te verblind door Hannelore geweest om ook andere dingen te onthouden?

Het is zomer en een warme dag dat ik besluit om een bezoek aan Westerbork te brengen, het kamp waar mijn vader met zijn ouders tot mei 1944 gevangen zat, voordat ze naar Auschwitz werden gedeporteerd. Het zal mijn eerste bewuste bezoek worden aan een kamp. Nooit eerder vond ik het nodig om mezelf willens en wetens door een plek gevoelens en gedachten op te laten dringen. Ik meende altijd dat ik ook zonder het bezoeken van een plek al genoeg last had van gevoelens en gedachten. Maar nu het eropaan komt, nu het om feiten en reële aanknopingspunten gaat, merk ik dat ik het niet red met de boeken en platen alleen. Ik moet er zijn, ik moet het zien, voelen hoe het er waait, hoe de hemel eruitziet vanuit een kamp. Naar Auschwitz met zijn schoenenbergen en gaskamers is me een stap te ver, maar Westerbork, dat ontruimd is en voor publiek toegankelijk gemaakt als een museum, zal nog wel gaan, denk ik.

Moos, mijn zoon van tien, is thuis en heeft vakantie. Mijn dochtertje speelt bij een vriendin. Ik vraag hem of hij met me mee wil naar het kamp waar zijn grootvader in de oorlog ooit gevangen zat. We gaan met de trein zeg ik, want het is ver. Er zijn daarginds lang geleden nare dingen gebeurd. Opa was daar, verklaar ik lam, met zijn ouders.

Ik probeer uit te leggen wat een kamp is. Moos kent alleen het portret van zijn opa, die doodging toen hij één jaar oud was, maar vindt het een buitengewoon spannend plan – hij is tien en nog gek op oorlog.

Pas in de trein, met Moos tegenover me, herinner ik me dat ik in 1966, per ongeluk, ook al eens in Westerbork beland ben. Ik was vijf. Kort voor onze vakantie naar Drenthe had mijn vader een Volkswagen gekocht. Het was zijn eerste eigen auto, turkoois en glanzend, bewijs van een echt volwassen leven na jaren van keihard studeren en werken om te vergeten wat er vroeger was gebeurd. We waren allemaal even trots op die auto als hij, dachten we. Inmiddels weet ik dat dat niet waar was. Tijdens de week in het bungalowtje in het Drentse bos reed hij de Volkswagen ('Kijk uit met instappen!!! Niet met je voeten op de bank!!! Pas op met die vieze handen!') bij het draaien schuin met zijn achterkant tegen een hoge zilverwitte berk. De berk stond nog steeds voornaam en vrijwel ongeschonden op zijn plek, maar onze Volkswagen had een deuk ter grootte van een opscheplepel op de achterflank.

Ik herinner me hoe mijn hart een moment stopte met kloppen. Eerst weerklonk het 'Jezus Christus!' als een kille galm door de auto zelf, daarna was mijn vader op het mos gesprongen. Terwijl hij staarde naar de gewonde plek, zijn gezicht letterlijk vervormd van pijn, voelde hij voorzichtig aan de verminking. Hij ging op een afstandje staan en daarna hoorde ik onder de handen die hij voor zijn mond geslagen had, geluiden komen die ik nooit eerder van hem had gehoord. Met mijn vijfjarige oren herkende ik ze echter maar al te goed, zelf kon ik er ook wat van. 'God, Gerard...' zei mijn moeder.

Toen begon zij ook te huilen – en begrepen wij dat alles verloren was.

Of het op diezelfde dag was dat wij langs velden met lupine reden, kan ik niet zeggen. Lupine kende ik goed, het waren bloemen die ook in de tuin van mijn opa en oma bloeiden. Na het vloeken en het snikken, en het schelden op de schuldigen (wij, die hem hadden afgeleid) (mijn onoplettende moeder) (dat verdomde bos met al die verdomde bomen), hoorde ik mijn vaders stem vanachter het stuur ineens onverwacht dun en ijl opklinken in een geschokt 'Neeeee...! Dit is toch niet...!'

Het was een lange dag en de twee gebeurtenissen zullen zich vervlochten hebben in mijn geest. Wel weet ik dat ik toen voor de eerste keer de naam Westerbork hoorde, en dat ik op het vallen van die naam een soort ruisen waarnam, dat bijna alleen maar mijn eigen bloed kan zijn geweest. Daarna werd het monsterlijk stil om me heen, alsof de natuur met al zijn kleurige bloemen en jonge boompjes plotseling verdampt was. Voor me zag ik mijn vaders nek buitensporig zweten onder zijn kibboetshoedje. De lucht in de auto werd zo dik, dat het me niet had verbaasd als hij was ontploft met ons allemaal erin.

Ook in de wreedste maanden had de lupine indertijd in Westerbork altijd verraderlijk nonchalant staan bloeien. Daar waar niets groeide en nauwelijks mensen woonden, waar het kouder was dan in de rest van Nederland, want volledig onbeschut, daar bloeide zomers toch altijd de lupine. Mijn vader haatte het.

Het stond er nog net zo, hoorde ik later, bekoorlijk en onverschillig – alsof het nooit was weggeweest en alsof er op deze plek nooit iets van betekenis was gebeurd. Tussen de nieuwe radiotelescopen die in 1965 waren gebouwd stonden de oude barakken bovendien nog steeds belachelijk stevig overeind. Daartussen wiegden roze, lichtblauw en zachtpaars, de puntige tressen lupine in de zomerwind.

In Westerbork, eigenlijk Hooghalen, stoppen tegenwoordig goddank geen treinen meer. Moos en ik stappen uit in Beilen, een kilometer of tien van het voormalige kamp. Het ruist hier nog steeds, merk ik meteen als we de trein uit zijn. Het is niet mijn bloed dat ik hoor, maar de wind. We hebben geluk, er worden fietsen verhuurd op het station. De lucht is lauwwarm en het ruikt naar mest en hooi. Langs een brede, tamelijk drukke weg, waaraan grote boerenwoningen staan, fietsen we richting Hooghalen. Overal zijn eieren te koop. Moos stapt onderweg af om een hond te fotograferen die op zijn erf de wacht houdt. Ondanks de vakantie die in de lucht hangt, verbeeld ik me dat het landschap hier nog steeds terneergeslagen is.

Ze hebben het kamp indertijd zo ver mogelijk van de bewoonde wereld af gebouwd – zodat de vluchtelingen zich niet zouden mengen met de inboorlingen. Het was er in die tijd zo leeg dat het zand je om de oren vloog, is me verteld.

Nog steeds is het hier geen wereldstad – maar

het is in de verste verte niet zo verlaten en eenzaam als het toen moet zijn geweest. Een bord wijst ons de weg naar het voormalige concentratiekamp, indertijd ook wel *Durchgangslager* genoemd. We buigen van de grote weg af, een fietspad op dat de weilanden doorsnijdt.

Zo vinden we het herinneringscentrum, een gruwelijke naam voor een verzorgd museum met een archief, een vaste, indrukwekkende tentoonstelling en een afdeling voor boeken. Het voormalige kamp ligt ongeveer drie kilometer hiervandaan, en ik ben blij dat we fietsen bij ons hebben. Maar eerst wil ik de film zien.

De Westerbork-film waarom ik van tevoren heb gevraagd, staat klaar. Moos is niet ongenegen mee te kijken, maar is enigszins teleurgesteld als blijkt dat het een film zonder geluid is. Samen zien we langdradige, nogal blikkerige opnamen van mensen die vliegtuigen aan het slopen zijn, of zware karren duwen. Maar ook zien we in een flits het dunne gezichtje van Settela, het inmiddels beroemde zigeunermeisje, net voordat de deuren van de veewagon waarin ze zit, zich sluiten. En Gemmeker, met zijn hondje, die langs de wagons marcheert.

Het is een vreemde, want schijnbaar objectieve film die Gemmeker liet maken door Rudolf Breslauer, een kampingezetene die tweeënhalf jaar in Westerbork zat voor hij met zijn vrouw, dochter en twee zoontjes naar Theresienstadt werd gedeporteerd. Na bewezen diensten werd hij ten slotte vermoord in Auschwitz.

In de hoop een glimp op te vangen van mijn grootvader spoel ik door naar de stukjes film die tijdens voorstellingen van het cabaret gemaakt zijn.

Het is vergeefs, zoals ik vooraf eigenlijk al had gedacht. Hij staat er werkelijk niet op. Wel zie ik andere mannen en vrouwen zingen en jonge meisjes dansen, en ik moet denken aan mijn vaders verliefdheid op de mooie Hannelore, die een van hen moet zijn en over wie hij schrijft. Wie is zij in dat al te vrolijk huppelende groepje?

Ik begin me af te vragen waarnaar ik eigenlijk op zoek ben.

'Je zei dat we nu naar het echte kamp zouden gaan!' klaagt Moos.

Ik wil het fotoarchief nog zien. Zuchtend zet Moos zich aan de taak van het opeten van het lunchpakket dat ik voor hem heb meegenomen en kijkt dan stiekem met me mee.

Het blijkt een goed idee. Na niet al te lang zoeken vind ik hem, de foto waarover mijn vader het in *Quarantaine* heeft. Ik zie mijn grootvader op het podium staan, op de voorgrond, en zich met een duidelijk charmeursgebaar opzij buigen naar de dame naast hem, die daar met bloemen in de armen staat. Is dat de toneelknecht over wie mijn vader schreef, deze kokette podiumfiguur? Verbeten zoek ik verder in het bestand, en vind dan tot mijn verbazing nog zo'n foto, waarschijnlijk slechts een paar minuten eerder genomen dan de vorige, waarop ik Arthur opnieuw herken. Ditmaal heft hij net als alle anderen op het podium de armen in de lucht, de mond open. 'Auf der Heide', heet het lied dat daar gezongen wordt, het staat eronder, net als bij de foto waarop mijn vader Arthur wel herkende.

Ik zie hierin een bewijs voor een stelling die ik nooit eerder had geformuleerd. Arthur was niet alleen toneelknecht, of *Blockälteste* in Westerbork! Hij was misschien geen solist, maar zingen deed hij ook daar, in het ensemble. Ik weet niet wat ik ervan moet denken.

Het maakt me droevig en ontroert me tegelijk, de tragedie van deze ambitieuze driftkop die hier voor het behoud van zichzelf en zijn gezin toch weer zijn talent aan het bewijzen is. Opgetogen, stel ik me voor, ondanks de omstandigheden, door het gezelschap van de beroemde artiesten uit Wenen en Berlijn, waarin hij even mag verkeren.

In het herinneringscentrum is een cd te koop die kampoverlevende Louis de Wijze maakte op basis van de paar zinnen die hij zich van de liedjes uit het cabaret herinnert. 'Auf der Heide' is het eerste nummer. *Nur auf der Heide kann ich glücklich sein,* schmiert het lied.

In gedachten hoor ik het Arthur zingen, met zijn vermeende stentorstem.

De rest van onze tocht gaat een beetje aan me voorbij. We zien de kale, met prikkeldraad omheinde vlakte waar het kamp vroeger stond, we fietsen samen keihard over de Boulevard des Misères zoals de weg dwars over het kampterrein indertijd werd genoemd, naar de uitkijktoren waarop de ss met machinegeweren mogelijke vluchtelingen beloerde, we huiveren bij het monument voor de gevreesde dinsdagtrein naar het Oosten die zovelen de dood injoeg – waaronder Arthur en Erna, en bijna mijn vader.

En we maken foto's. Ik vang een beeld van Moos die in de lucht springt naast het oude, zo

gevreesde spoor dat tegenwoordig, om te bena-
drukken wat nooit meer mag gebeuren, gekruld
naar de hemel wijst.

Louis de Wijze die ik een paar dagen later bezoek, kan zich niet goed herinneren of mijn grootvader veel heeft gezongen in het cabaret. 'Hij was *Blockälteste*,' verklaart hij. 'Was een beetje van de categorie MSW.'

MSW? vraag ik.

Ja, Macht Sich Wichtig. Ken ik de uitdrukking niet?

Allicht ken ik die. Zo vaak al had ik het woord van mijn vader gehoord als het om aanstellers en dikmakers ging: *wichtigmacher*. Het verbaast me dat het kennelijk ook buiten onze familie wordt gebruikt. En nota bene een kampterm was, met name voor joodse opzichters.

O, zeg ik. Nu wil ik Arthur beschermen, al zou ik niet weten hoe. Ik moet denken aan het gebrul, waarover mijn vader het heeft gehad. Als ik aan de foto's denk, zie ook ik een man die zich aanstelt. Maar is het zo moeilijk om te bedenken waarom hij dat deed?

'Hij was veel ouder dan ik, en ging zwierig en modern gekleed in Engelse ruiten en knickerbockers,' vertelt Louis. 'Maar ik kan' me niet herinneren dat hij ooit een rol van betekenis vervulde in het cabaret. Hij kende een hoop mensen, dat wel. Hij praatte veel, was druk. Deed erg belangrijk...'

Zelf maakte hij als jonge jongen met zijn Franse chansons indruk op Mara Rosen, vertelt hij dan niet zonder trots, de vrouw van de beroemde Willy Rosen. Daardoor kreeg hij een plekje in het cabaret. Een andere benadering van het begrip *Sperre* – redding dus.

Louis laat me het historische, broze programmafoldertje van de revue zien, dat hij al die jaren heeft weten te bewaren en waar hij mijn grootvaders naam op vond. *Bravo da Capo!* is de naam van de revue.

En jawel. Daar staat hij, Arthur Durlacher. De naam van een levende man. Een man die tussen andere levenden in een programmaboekje staat. Hij wordt tweemaal vermeld. Niet alleen bij de functie *Inspektion*, wat me een onduidelijke taak lijkt, maar ook in een act die *Streichquartett. Schwank in einem Akt* heet. Tussen grootheden als Max Ehrlich, Mara Rosen, Jetty Cantor (die later bekend zou worden als Saartje in de serie *Swiebertje*), Esther Philipse en zijn vriend Hermann Feiner vervult Arthur in deze act de rol van ene 'Dorn'.

Het lied 'Auf der Heide' komt in deze revue niet voor.

Wat alleen maar kan betekenen dat Arthur in meerdere revues heeft meegezongen.

Hierna vind ik het nog verbazingwekkender dat mijn vader in zijn boeken onvermeld liet dat mijn grootvader ook in Westerbork nog zong. Misschien dat alleen een psychiater zoiets kan verklaren, denk ik. Verdringing, zal zo iemand waarschijnlijk zeggen. Of misschien dat mijn vader zich schaamde voor zijn vaders *Wichtig-macherei*. Per slot van rekening begon hij in die tijd volwassen te worden. Of misschien had hij een hekel aan zijn vaders zingen?

Ook is er de tekening van Arthur die mijn vader na verschijning van zijn boeken van een mede-kampingezetene kreeg opgestuurd. Samen met Leo Kok speelde kunstenaar Hans Margules een bepalende rol bij het bouwen van de decors en het ontwerpen van de programmaboekjes van het Westerbork-cabaret. Maar ook tekende hij kennelijk karikaturen, zoals deze van Arthur.

Met zijn buitenproportioneel uitstekende, vierkante kin staat Arthur er verwaand en hanig op. Eronder, in zwierige letters, de schetterende naam van de beroepsartiest: Arthuro Durlacher d'Alberti. Die letters zijn opgeluisterd door een klein, komisch extraatje, een mini-portretje van mijn grootvader in zang-stand, noten parelend uit zijn keel.

Het is een nieuw bewijs van zijn kennelijke sta-tuur als zanger, ook in Westerbork. Een gegeven was het kennelijk ook daar: Arthuro zong. Als zanger werd hij afgebeeld.

Ik leg het voor aan mijn moeder. Ineens vertelt zij mij dingen – dingen die ik nooit wist.

In de periode dat mijn vader van professor Bastiaans lsd krijgt toegediend, dezelfde tijd dat wilde twintigste-eeuwse symfonieën als mentaal purgeermiddel door mijn ouderlijk huis denderen, wordt mijn vader besprongen door herinneringen die zich decennialang verborgen hielden. Wellicht hield schuldgevoel ze bij hem weg. Misschien waren enkele daarvan ook beter onontdekt gebleven.

Tot in 1953 de brieven van het Rode Kruis bevestigden wat mijn vader al vreesde, dat zijn ouders omgekomen waren, was hij op hen blijven wachten. Zowel op zijn moeder, van wie hij zielsveel hield, als op zijn vader. Zijn moeder was in maart 1945 gestorven in Stutthoff, zijn vader in mei 1945 in Bergen-Belsen. Over de doden niets dan goeds.

Maar de man om wie hij ook na 1953 altijd zou blijven rouwen en over wie wij thuis niet konden spreken, was dezelfde die hem stokslagen toediende wanneer hij in bed plaste, als kind. Hij sloeg ('beurs van verdriet en pijn na de harde afstraffing die mijn vader mij gegeven heeft', uit: *Drenkeling*), snauwde en brulde, negeerde hem, onthield hem zijn liefde. En bedroog zijn moeder op zijn vele zakenreizen, onder anderen met de genoemde mannequin.

Als overlevende en zoon had mijn vader nooit willen weten hoe beroerd de herinneringen waren die hij aan zijn vader had.

Hier waren ze dan, helder en koud, en terug lieten ze zich niet duwen.

Het onverdraaglijkste, vertelde mijn moeder, wat het geheugen aan mijn vader teruggaf, was de vechtpartij die hij en zijn vader in Theresienstadt hadden. De aanleiding was haar onbekend – en ook mijn vader wist die niet meer.

In de ongehoorde drift waarom hij berucht was, had Arthur zijn zoon tijdens dat gevecht geslagen en gestompt. Sidderend van woede had hij hem toegebruld dat hij hem, als *Blockälteste*, zou laten opsluiten in De kleine Bunker.

Door omstanders was voorkomen dat mijn grootvader doorging met slaan. En inmenging van anderen had hem weerhouden zijn dreigement echt uit te voeren – zo vertelt mijn moeder. Gelukkig maar.

Opsluiting in De kleine Bunker betekende in Theresienstadt nooit iets anders dan de dood.

Ik kan maar moeilijk geloven dat Arthurs uitspraak, gedaan in opperste drift, en hoe onvergeeflijk ook, zijn zoon meer dan alleen als dreigement is toegeschreeuwd. Dat moet mijn vader toch zelf ook hebben beseft? 'Ik timmer je kapot!' schreeuwde hij zelf eens toen mijn zusje weigerde te eten. Iemand dreigen kapot te timmeren omdat je gek wordt van bezorgdheid? Hoe paradoxaal is liefde.

'Ik zie mijn vaders grauwe, betraande gezicht. Ons afscheid is gedeeld verdriet,' schrijft mijn vader in *Strepen aan de hemel*, wanneer hij zijn moeder in een rij ziet staan met onbekende bestemming en ook zijn vader voor het laatst ziet.

Is gedeeld verdriet niet ook zoiets als liefde?

Ik kan Arthur niet haten.

'Ik had altijd het gevoel dat er twee Arthurs waren,' zegt oom Evan, zoon van Benno, Arthurs grote broer.

'Je grootvader was iemand die zichzelf forceerde, ook bij die twee vluchtelingen, Feiner en Fleischmann, die artiesten uit Berlijn en Wenen, bij hen in huis... Enerzijds speelde hij altijd de geslaagde zakenman, *Deutsch gutbürgerlich*, lid van de joodse gemeente, zich voegend naar de gevestigde orde, maar eigenlijk was het een *Lebewohl*, en leidde hij stiekem een bohemienleven, compleet met een maîtresse. Hij wilde zo graag geaccepteerd worden als artiest – de frustratie niet als zanger door het leven te kunnen gaan spleet hem in tweeën. In kleine kring werd hij als zanger echt zeer gewaardeerd. Ja, hij was buitengewoon ambitieus en verbeten. Ontzettend driftig. Neurotisch ook. Dat rechthangen van alle schilderijen... het kammen van de vloerkleden, alle meubels in het gelid... Zo trots op zijn spullen. 'Wieder alles kaputt!' zo belde hij ons na het bombardement in Rotterdam. Zo verslagen als hij toen was...'

Ik denk aan de zinnen in *Strepen aan de hemel*, als mijn vader met zijn ouders na het bombardement de straat op vlucht. Zinnen die ik vaak las omdat ze op de een of andere manier iets extra's vertellen over mijn grootvader, mijn familie, iets wat tussen de regels zit.

'Spanning en shock beletten mijn vader de auto met de gebruikelijke zwaai uit de garage te rijden, maar eenmaal op de weg maakte zijn nervositeit plaats voor een ijzingwekkende kalmte die ook op ons oversloeg. Geen woord over alles wat achterbleef. Het was in een moment vergeten, ofschoon elk meubelstuk dat ik vanaf mijn prilste kinderjaren gekend had, altijd met overdreven nauwkeurigheid gekoesterd was.'

Voorheen, als ik iets over Arthur wilde zeggen, ging ik altijd fluisteren, want dan dacht ik aan de oorlog en het feit dat hij die niet overleefde. Uit respect, uit rouw, een vorm van eerbetoon.

Nu weet ik dat ik hem daarmee tekortdoe.

Het zou zijn alsof al die noten voor niets gezongen zijn, al die moeite, al dat gezwoeg om meubels, textiel, lingerie te verkopen, voor niets. De joviale manier waarmee Arthur mensen tegemoet trad, zijn aanstellerij, al die zorg om mooie spullen, behoud van gewoontes en plekken, de angst voor verlies, zijn onbeheersbare drift, zijn dromen, zijn toekomst, al zijn verdriet om het afscheid... het geheel dat een leven vormt, het zou allemaal futiel worden in het licht van zijn gewelddadige einde – in Bergen-Belsen. De gedachte is onverdraaglijk.

Was de benefietvoorstelling voor de bootvluchtelingen van de St. Louis het hoogtepunt van mijn grootvaders zangcarrière? Nergens wordt duidelijker hoe verbeten en grondig Arthur zich in een optreden verdiepte dan juist tijdens deze gelegenheid, onbezoldigd – een prestatie, al weet ik eigenlijk niet hoeveel er die avond is opgehaald. Dat mijn vader trots was, staat er met zoveel woorden. Of het ook Arthurs eigen *finest hours* zijn geweest, tijdens dit concert in Holland, ergens in 1939, zal ik wel nooit weten. Als ik op mijn vaders boeken moet afgaan, kan ik niets anders concluderen.

Dat hij erin slaagde zijn zangtalent ook in Westerbork voor hem te laten werken, hoe weinig veiligheid dat hem en zijn gezin uiteindelijk ook opleverde, moet een schamele overwinning hebben betekend. Maar als je zijn gezicht op de foto's ziet, dat gespannen, schaterende hoofd, dan zie je het; de drift, de kracht, het verlangen naar veel, naar aandacht, leven.

Zou ik hem gemogen hebben?

Veel doet het er niet meer toe.
Maar ik vind het niet futiel.

Ik vergeef Arthur hierbij dat hij van MSW was, een heethoofd, ijdel, brullend. Ik ken het, ik ken het van dichtbij. Het hoort bij mij.

Hij hoort bij ons.

VERANTWOORDING

Voor hun hulp bij het schrijven van dit boekje
bedank ik mijn oom Evan Durlacher voor zijn
nuchtere observaties van Arthur, die hij kende
toen hij een jongen was, Louis de Wijze, die in
Westerbork zat in dezelfde periode als mijn vader en zijn grootouders, en wiens verhalen over
het cabaret en over mijn grootvader dit boek een
grote dienst bewezen; mijn gestorven oom
Leo(fried) Durlacher voor het nalaten van zijn
herinneringen voor de familie in de uitgave *Een
Na-vertelling, de jaren 1922/23-1945* waaruit ik
vrijelijk heb geput; Gerard Rossing van Herinneringscentrum Westerbork voor zijn behulp-
zaamheid bij het zoeken naar foto's en het bekij-
ken van de Westerbork-film; Fifi Ehrlich met
wie ik kort voor publicatie van dit boek nog een
gesprek mocht voeren over mijn grootouders
zoals zij leefden in het Rotterdam van 1939.

Vooral dank ik mijn moeder, Anneke Durla-
cher-Sasburg, mijn beste, meest kritische lezer,

die nooit bang is om vergeten en/of pijnlijke territoria te betreden en oude versteende verhalen in een nieuw licht te zien.

En mijn kinderen Moos en Moon, en man, Leon, dat ze er zijn.

GEBRUIKTE LITERATUUR

Lachen in het donker, onder redactie van Dirk Mulder en Ben Prinsen (1996), verschenen in de serie: Westerbork Cahiers, over amusement in Westerbork

G.L. Durlacher, *Strepen aan de hemel* (1985), *Drenkeling* (1987), *De zoektocht* (1991), *Quarantaine* (1993), *Niet verstaan* (1995), uitgeverij Meulenhoff

Gruppe Bühne Lager Westerbork
'Auf der Heide' uit de revue 'Humor und Melodie'.
De vierde persoon van rechts is Arthur Durlacher.